À table, les enfants!

Catalogage avant publication de Bibliothèque et Archives Canada

Breton, Marie, 1962-

    À table, les enfants! : recettes et stratégies pour bien nourrir son enfant de 9 mois à 5 ans

    Comprend des réf. bibliogr. et un index

    ISBN 2-89077-285-3

    1. Enfants - Alimentation. 2. Nourrissons - Alimentation. 3. Cuisine.
    4. Cuisine (Aliments pour nourrissons). I. Emond, Isabelle. II. Titre.

    TX361.C5B74 2005   641.5'622   C2005-940885-5

Photo de la couverture : Victor, 20 mois, accourt toujours lorsqu'il entend : « À table, les enfants! ».

Photos des recettes : Srt Communication

Conception graphique et mise en page : Olivier Lasser avec Julie Charpentier

Illustrations : les auteurs remercient les amis de la maternelle du pensionnat des Sacrés-Cœurs,
à Saint-Bruno, qui nous ont fait profiter de leur talent artistique.

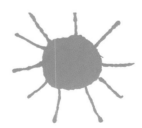

IMPRIMÉ AU CANADA

MARIE BRETON
ET ISABELLE EMOND
diététistes

À table,
les enfants!

RECETTES ET STRATÉGIES

POUR BIEN NOURRIR SON ENFANT

DE 9 MOIS À 5 ANS

Flammarion
Québec

Merci!

Nos plus sincères remerciements à tous ceux et celles, petits ou grands, qui ont contribué à leur façon à faire grandir ce livre.

À Claire Dufresne, présidente de l'Association québécoise des allergies alimentaires, dont l'engagement pour la cause des personnes souffrant d'allergies alimentaires a fait de nous de meilleures intervenantes dans le domaine.

À Diane Côté, diététiste et présidente du Collectif action alternative en obésité, pour sa générosité à commenter nos textes et à partager avec nous une approche (enfin) intelligente pour prévenir l'obésité.

À Nathalie Béland, diététiste clinicienne à l'Hôpital de Montréal pour enfants, dont l'amour pour ses petits malades s'est exprimé par le soin apporté à commenter et à enrichir ce livre.

À Chrystine D'Astous, une maman et amie, pour avoir volontairement entrepris de tester à ses « risques » bon nombre de nos recettes sur sa progéniture.

À Michel Boudreau pour le soutien informatique grâce auquel le calcul des valeurs nutritives des recettes de ce livre s'est avéré (encore une fois) un jeu d'enfant !

À nos conjoints Charles et Pierre et nos enfants Victor, Jeanne, Estelle, Gabriel et Julien, nos supporteurs et « critiques culinaires » de tous les jours.

Et à nos petits goûteurs Victor, Jeanne, Estelle, Gabriel, Julien, Katherine, Marjorie, Laurence, Mathilde, Alice, Romain, Sarah-Maude et Clara pour avoir commenté sans retenue nos recettes…

Introduction

PARENT ET ENFANT :
À CHACUN SES RESPONSABILITÉS !

Qu'il soit maigrelet ou grassouillet, petit mangeur ou bonne fourchette, malade ou débordant de santé, tout enfant a besoin d'une quantité de bons aliments pour grandir en force. Toutefois, ce que notre petit avale chaque jour ne suffit pas à assurer son bien-être et sa santé. Les expériences qu'il vivra à table dans ses premières années de vie modèleront son comportement et ses préférences alimentaires pour la vie.

Durant cette période d'apprentissage cruciale qu'est la petite enfance, vous pouvez exercer sur l'enfant une influence positive, que vous soyez le parent, le grand-parent, l'éducateur ou même le gardien. Pour vous, deux diététistes, amies et mamans ont entrepris de partager le fruit de leur recherche, de leurs essais culinaires et de leur expérience personnelle. Dans *À table, les enfants!*, elles livrent des stratégies et des recettes qui ont fait leur preuve.

À table, les enfants! propose une approche empreinte de respect mutuel et basée sur un principe simple : le parent a ses responsabilités, l'enfant a les siennes. En bref, le parent est responsable du *quoi*, du *quand* et du *où* de l'alimentation de l'enfant et celui-ci, du *combien*. En d'autres mots, le parent décide de ce qu'il sert à son enfant, du moment et de l'endroit où il le sert, et l'enfant décide de la quantité de cette nourriture qu'il mange. Ici, pas de place pour les menaces, les plaintes, les négociations, le chantage et les discussions !

Le «principe du partage des tâches», comme nous l'appellerons dans ce livre, est né il y a une trentaine d'années de l'expérience et de l'intuition de la diététiste et psychologue américaine Ellyn Satter. Il est aujourd'hui validé par la recherche scientifique et appliqué avec succès par de nombreux professionnels de la santé dans le monde. Il s'applique à tous les enfants. Bien sûr, comme on ne se nourrit pas de beaux principes, nous l'avons traduit en une forme simple et surtout pratico-pratique et l'avons assorti d'une variété de recettes familiales approuvées par notre panel de petits goûteurs.

Vous avez choisi *À table, les enfants!* pour mieux vous occuper de votre enfant. En assumant maintenant vos responsabilités et en le laissant aux siennes, votre enfant grandira bien, il développera son goût pour les aliments sains et il conservera la capacité de se fier à lui-même pour régler ses apports à la demande de son corps. Il s'aimera comme il est. En prime, votre relation avec lui n'en sera que meilleure.

Que ce livre profite à tous ceux qui, comme nous, ont choisi de mieux nourrir leur tout-petit. Comme l'a si bien dit La Rochefoucauld : «Manger est un besoin. Savoir manger est un art»… qui s'apprend! *À table, les enfants!*

Notre nouveau credo

Voici réunis les grands principes préconisés dans *À table, les enfants!* Certains, nouveaux pour vous, pourront vous sembler surprenants, voire farfelus. Ne vous en faites pas. Nous reviendrons sur chacun pour en faire valoir le bien-fondé. Entre temps, rien ne vous empêche de commencer à les apprivoiser! N'hésitez pas à photocopier cette page et à la coller sur la porte du réfrigérateur.

Décider soi-même du menu de la famille.

Offrir des aliments sains et appétissants.

Exposer l'enfant à une variété d'aliments.

Manger à des heures régulières.

Éviter de manger entre les repas et les collations prévus.

Exiger la présence à table.

Donner l'exemple.

Faire du repas un moment agréable en famille.

Ne pas offrir d'autres choix que ceux prévus au menu.

Laisser l'enfant choisir la quantité de ce qu'il mange, s'il choisit de manger!

Ne pas le forcer à manger, ni le restreindre.

Ne pas interdire totalement les friandises.

Éviter de trop s'en faire et s'il le faut, consulter un diététiste.

Chapitre 1
UN ENFANT *SAIT* COMMENT MANGER ET GRANDIR

Voir grandir son enfant est fascinant et parfois préoccupant. Mange-t-il assez ou trop? Se développe-t-il normalement? Est-il trop petit, trop grand, trop gros ou trop mince? Or, d'une façon générale, un enfant *sait* comment grandir et lorsqu'on le laisse faire, tout se passe comme il se doit.

IL GRANDIT À SA MANIÈRE

Tous les enfants veulent grandir, comme ils veulent aussi s'amuser, apprendre, réussir, plaire et aimer. C'est ça, être un enfant! Dans leur façon de faire toutefois, chacun est unique!

Le corps d'un enfant se présente en formes et en tailles différentes. Certains enfants sont trapus, costauds ou grassouillets comme d'autres sont élancés, frêles ou maigrelets. La forme et la taille du corps sont déterminées principalement par l'hérédité, c'est-à-dire par les gènes transmis par les parents. Notre enfant aura probablement le corps de son père, de sa mère ou un mélange des deux et ça, on ne peut rien y changer. On ne peut que l'accepter.

Il grandit habituellement selon un modèle prévisible. Lors des visites de routine chez le médecin, on pèse l'enfant, on le mesure et on note les résultats sur un graphique de référence. À titre indicatif, la figure A nous montre un graphique pour le poids (à la verticale) en fonction de l'âge (à l'horizontale) pour un garçon âgé de 0 à 3 ans. Et la figure B, l'équivalent pour une fillette du même âge. Il existe des graphiques similaires pour la taille en fonction de l'âge et d'autres pour la taille en fonction du poids.

Sur chacun de ces graphiques, on a tracé un ensemble de courbes. Chacune, compilée à partir des moyennes de milliers d'enfants, illustre un parcours de croissance typique. Lorsque les mesures de l'enfant sont prises et notées régulièrement à chaque visite chez le médecin, on observe éventuellement que son poids évolue selon une courbe donnée, qui représente un percentile donné (le 75e par exemple, qui signifie que 75 garçons sur 100 pèsent moins que Fiston, qui est par conséquent plus lourd que la moyenne). Il en va de même pour sa taille, qui peut suivre une courbe identique à celle du poids (celle du 75e percentile, selon notre exemple) ou bien différente (soit plus haute — comme le 90e percentile; ou plus basse — comme le 60e percentile). Ces courbes nous donnent une bonne indication que tout se passe bien, tant d'un point de vue nutritionnel, médical qu'affectif.

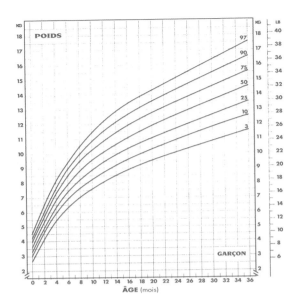

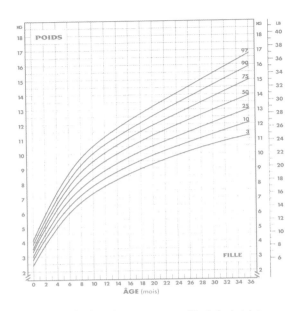

Figure A. Courbe de croissance pour un garçon âgé de 0 à 3 ans.

Figure B. Courbe de croissance pour une fille âgée de 0 à 3 ans.

Source : Dr Arto Demirjian, Centre de Recherche sur la Croissance Humaine, Université de Montréal.

Les extrêmes de croissance peuvent être normaux. Un enfant qui grandit de façon régulière en suivant la courbe du 5e percentile ou celle du 95e percentile est tout aussi «normal» que l'enfant qui suit la courbe moyenne, celle du 50e percentile. Trop souvent, malheureusement, on étiquette ces enfants hors normes d'«obèses», de «cas de retard de croissance» ou de «cas de maigreur excessive». Ils deviennent ainsi, que l'on en soit conscient ou non, anormaux aux yeux de leurs parents, de leur entourage et éventuellement d'eux-mêmes. Or, ces enfants sont bâtis de façon différente mais tout aussi normale : ils sont simplement faits gros ou petits.

Il ne faut pas comparer un enfant avec un autre. Les courbes de croissance sont utiles pour évaluer la croissance d'un enfant donné, mais on doit éviter de les interpréter comme des résultats scolaires. Il ne sert à rien de comparer son enfant avec le petit voisin ou le cousin. Il faut plutôt le comparer avec *lui-même* : est-ce qu'il

grandit de façon constante ? Est-ce que les mesures de son poids et de sa taille prises depuis sa naissance affichent un modèle standard ? Si oui, il grandit bien. Un enfant qui grandit en suivant la courbe du 95e percentile n'est pas meilleur que celui qui suit la courbe du 60e percentile ou même celle du 5e percentile. Des façons de grandir, il y en a presque autant qu'il y a d'enfants.

De petits écarts de croissance sont généralement normaux. Il est toujours intéressant de voir son enfant se développer, mais il ne faut pas s'inquiéter à chaque petite déviation de la courbe de croissance. Il n'est pas rare qu'un enfant dont le poids était petit à la naissance connaisse une période de «rattrapage» au cours de ses premiers mois de vie. À l'inverse, après une lancée fulgurante, le poids d'un gros bébé à la naissance peut aussi manifester un ralentissement spontané. Il n'est pas rare non plus de remarquer un léger fléchissement dans la courbe de croissance vers l'âge de 8 ou 9 mois, au moment où l'enfant commence à vouloir se nourrir lui-même. Une courbe de croissance régulière peut même n'apparaître que vers l'âge de 12 mois.

Chose certaine, lorsque l'enfant adoptera une courbe de croissance, il s'y établira. Son poids ou sa taille pourront légèrement fluctuer, mais si le changement est graduel et n'implique qu'une courbe sur une période de plusieurs mois ou que deux courbes sur un an, tout est probablement normal. Le cas échéant, le médecin avisera.

IL MANGE SELON SES BESOINS

Pour grandir de la façon qui est sienne, l'enfant doit manger la quantité qui est sienne.

On ne peut pas savoir quelle quantité exacte un enfant doit consommer. Celle-ci dépend de plusieurs facteurs : sa taille, son poids, son niveau d'activité physique, ses besoins pour grandir, l'efficacité de son corps à brûler les calories, etc. Ainsi, chez deux enfants d'apparence identique, l'un requerra deux fois plus de nourriture que l'autre. Chez un même enfant, les besoins peuvent aussi fluctuer d'une semaine à l'autre, d'une journée à l'autre et même d'un repas à l'autre. Pas facile de savoir alors combien il mangera à son prochain repas! De toute façon, il n'est pas nécessaire de le savoir. L'enfant, lui, le sait. Son corps prend automatiquement toutes les variables en ligne de compte pour l'informer, par des signaux de faim et de satiété, de la quantité donnée à prendre à un moment donné.

Ce n'est pas parce qu'il est gros qu'il mange plus. Même si on prétend souvent le contraire. Trop de facteurs interviennent pour savoir de quelle quantité d'aliments un enfant a besoin, et ce, même en le regardant ou en le pesant. Certains enfants menus mangent comme des ogres, alors que d'autres plus dodus mangent comme des oiseaux (quelle curieuse expression populaire, car si on considère la quantité qu'ils mangent pour leur poids, les oiseaux ressemblent davantage à de petits ogres!). Il y a une trentaine d'années déjà, une étude de l'université Harvard montrait que les bébés minces ne mangeaient pas moins et que les bébés gras ne mangeaient pas plus. Au contraire, les bébés les plus gros étaient les moins actifs et ceux qui mangeaient le moins, et les bébés les plus minces étaient les plus actifs et ceux qui mangeaient le plus[1]. Plus récemment, une étude de l'université de Milan a comparé l'apport calorique de 152 enfants obèses à celui d'un groupe similaire d'enfants non obèses. Les chercheurs ont noté que l'apport alimentaire moyen des enfants obèses n'excédait pas celui des enfants non obèses. Il était au contraire plus bas. Même que 30 % des enfants obèses consommaient 30 % moins que l'apport calorique recommandé[2].

L'appétit est un phénomène fluctuant. Dans la majorité des cas, il est adapté aux besoins de l'enfant. Comme les besoins changent, il est normal que l'appétit change aussi.

- *L'appétit varie d'une période à l'autre.* Un enfant grandit plus vite à certaines périodes et plus lentement à d'autres. Lorsqu'il grandit, son corps a besoin d'un surplus d'énergie et de matériaux pour satisfaire à la demande accrue pour sa construction. L'appétit s'ajuste alors en conséquence. Les variations du niveau d'activité physique influencent de la même façon les besoins de l'enfant, son appétit et ce qu'il mange. Le plus fascinant, c'est que tout s'effectue de façon automatique sans que lui ou le parent ait à y penser. Son ordinateur corporel personnel calcule tout puis dicte ses besoins par des sensations de faim et de satiété. Tout ce qu'il nous reste à faire, c'est de fournir à l'enfant de la nourriture!

- *L'appétit varie aussi d'un jour à l'autre.* Et même à l'intérieur d'une journée! Il arrive à l'enfant (comme à nous) de manger trop ou pas assez à certaines périodes ou occasions. Pendant quelques jours, il mangera comme s'il était insatiable. Dans les jours suivants par contre, il aura peine à absorber quelques bouchées. À un autre moment, il ne se sentira pas bien et n'avalera rien, mais le lendemain, il ira mieux et redoublera d'ardeur. De façon naturelle, le corps de l'enfant compense pour ses écarts à la hausse ou à la baisse en ajustant par la suite en conséquence son appétit et son apport alimentaire. C'est ainsi que s'exprime sa remarquable habileté à atteindre le poids pour lequel il a été programmé génétiquement.

ET SI ON INTERVIENT ?

Il est tentant pour le parent qui juge que son enfant grandit trop lentement ou trop vite ou mange trop ou trop peu de tenter de le restreindre ou au contraire de le forcer à manger plus. Surtout lorsque la famille ou les amis s'en mêlent ! Ou que, sans aller jusqu'à prescrire une diète à l'enfant, un professionnel de la santé bien intentionné recommande de faire attention à son alimentation. Malheureusement (et c'est vrai dans bien des domaines), plus on pousse, plus on intervient et plus on en fait, plus on risque d'obtenir le contraire de ce qu'on veut ! En prime, les heures de repas pressurisées s'avèrent hautement désagréables pour tous…

L'enfant délicat ou le petit mangeur qu'on oblige chaque jour à finir son assiette mangera par obligation et non par plaisir. Il risquera de se désintéresser ou de se dégoûter carrément de la nourriture au point de négliger de manger dès qu'il en aura la chance. À l'opposé, l'enfant grassouillet ou le bon mangeur que l'on restreint délibérément pour le rendre plus mince pourra devenir préoccupé, voire obsédé, par la nourriture et sujet à surconsommer à la première occasion. Dans un cas comme dans l'autre, l'enfant ne saura plus reconnaître ni écouter ses signaux internes de faim et de satiété et il ne mangera pas selon ses besoins[3]. De plus, son estime de soi et sa confiance en soi seront forcément affectées puisqu'on lui envoie le message qu'on l'aimerait mieux s'il était autrement et qu'on sait mieux que lui ce qu'il ressent dans son propre corps ! La relation parent-enfant se détériorera à mesure que progressera la bataille autour de l'assiette.

À *noter* : plus subtil, le chantage du type « Si tu ne manges pas tes légumes, tu n'auras pas de dessert ! » ou encore « Cinq bouchées et tu auras fini » n'en demeure pas moins une autre façon de forcer un enfant à manger. Le fait également de le récompenser ou d'exprimer un enthousiasme débordant chaque fois qu'il mange une bouchée ou qu'il vide son assiette. Un enfant naturellement performant qui se voit ainsi renforcé peut apprendre à trop manger dans le but de plaire.

En somme, notre enfant a en lui le programme génétique de sa croissance. Et pour que tout se déroule comme prévu, il a besoin que nous croyions en sa capacité de grandir comme la nature l'a voulu et en sa capacité de manger pour grandir de cette façon. Qu'il semble manger trop peu ou trop, qu'il soit maigrichon ou potelé, la procédure est la même : il faut l'aider à maintenir sa capacité de régler ses apports à la demande de son corps en l'encourageant à rester centré sur ses sensations de faim et de satiété. Ce qui veut dire que même l'enfant gras devrait manger autant que sa faim le réclame. Et que même l'enfant petit et délicat devrait manger aussi peu que sa faim le réclame. S'il s'agit bien de faim (lire l'encadré ci-dessous pour mieux la reconnaître) ! On apporte la nourriture sur la table et on le laisse décider de ce qu'il mange ! Si on lui fournit de la *qualité* et qu'on le laisse décider de la *quantité*, on n'a généralement pas à s'en faire. Il grandira bien.

EST-CE VRAIMENT DE LA FAIM ?

Petits et grands, il nous arrive tous de manger sans avoir vraiment faim, pour répondre à un désir ou à une autre sensation que la faim réelle. La diététiste Diane Côté, présidente du Collectif action alternative en obésité, nous explique ce qu'est la « vraie » faim et comment la reconnaître.

La vraie faim. Elle correspond à un besoin physiologique de manger qui pousse la personne à rechercher activement de la nourriture. Un estomac vide et la baisse du taux de sucre (ou glucose) dans le sang sont des facteurs qui déclenchent la faim.

Comment la reconnaître ? La vraie faim se manifeste un certain temps après avoir mangé par une sensation physique désagréable au niveau de l'estomac, qui doit être soulagée. La faiblesse, une difficulté à se concentrer, de l'irritabilité et des tremblements sont des symptômes possibles de la baisse du taux de glucose dans le sang. Si on se demande : « Y a-t-il quelque chose à manger ? », on a probablement faim. L'enfant qui, après un après-midi à jouer dehors, rentre à la maison en s'écriant « J'ai faim ! » a sans doute raison !

La fausse faim. C'est une envie de manger, une sensation positive qui accompagne la vue, la senteur ou la seule pensée d'aliments appétissants. Comme la vraie faim, ce désir nous incite à manger, mais il ne répond pas nécessairement à une exigence du corps. La fausse faim peut donc être conditionnée par les sens. Pensons par exemple à l'effet que peuvent avoir sur nous l'arôme du pain chaud à l'épicerie ou une publicité invitante de pizza ou de croustilles à la télé, même lorsqu'on a le ventre plein ! La fausse faim peut aussi avoir une origine émotive. L'enfant qui tourne en rond, qui ouvre et ferme continuellement la porte du frigo ou du garde-manger n'a probablement pas très faim. Il s'ennuie peut-être.

Comment la reconnaître ? On croit ressentir une vraie faim ? On se demande maintenant ce qu'on a le goût de manger. Lorsqu'on a vraiment faim, on peut bien sûr avoir envie de croustilles ou de biscuits, mais un autre aliment comme un yogourt ou une pomme ferait aussi l'affaire. Si on désire des croustilles, des biscuits ou un autre aliment du genre et que rien d'autre ne nous tente, il s'agit probablement d'une fausse faim !

Chapitre 2
LE PARTAGE DES TÂCHES

Nous sommes souvent tentés d'apporter la nourriture non seulement *à la table* mais *à l'intérieur de l'enfant* ! Contentons-nous plutôt de préparer des aliments sains et appétissants, de les offrir dans le cadre de repas réguliers et agréables… et de manger aussi ! Le principe du partage des tâches nous guidera.

EN QUOI CONSISTE-T-IL ?

La diététiste et psychothérapeute américaine Ellyn Satter est une sommité à l'échelle internationale dans le domaine de l'alimentation de l'enfant. C'est à elle que l'on doit le « partage des tâches » dans l'alimentation, une approche qu'elle met en pratique avec succès depuis plus de 30 ans et qui est aujourd'hui largement acceptée par les diététistes.

En bref, le principe du partage des tâches veut que les parents soient responsables du *quoi*, du *quand* et du *où* de l'alimentation des enfants et ceux-ci, du *combien*. Autrement dit, les parents décident de ce qu'ils servent à leurs enfants, du moment et de l'endroit où ils le servent, et les enfants décident de la quantité de cette nourriture qu'ils mangent, s'ils choisissent de manger ! Ce principe s'applique quelque peu différemment selon les âges et les enfants, mais il s'avère essentiellement le même pour tous : les parents fournissent les aliments et les enfants les mangent. Pas de menaces, de plaintes, de négociations, de chantage, de discussions !

Le principe du partage des tâches sous-tend que l'enfant sait comment manger pour bien grandir. En pratique, il mangera beaucoup à certains repas, il mangera peu (ou pas !) à d'autres, mais dans l'ensemble il mangera ce qu'il doit manger. En prime, il prendra plaisir à manger, il sera davantage tenté d'essayer de nouveaux aliments, il sera fier de ses réussites… et papa et maman seront aux anges !

POURQUOI EN EST-IL AINSI ?

On peut empêcher un jeune enfant de faire ce qu'on *ne veut pas* qu'il fasse, mais dans bien des cas, on ne peut pas le forcer à faire ce qu'on *veut* qu'il fasse…

Il y a des choses qu'on ne contrôle pas. L'une d'elles : ce qui se retrouve dans le petit ventre de Fiston ou Fifille ! On peut choisir des aliments sains et variés en quantités suffisantes, les cuisiner pour qu'ils soient appétissants et savoureux, les offrir à heures régulières, être de bonne compagnie à table, bref faire de l'heure du repas un moment planifié, agréable et bénéfique pour toute la famille. Par contre, il n'y a aucune façon de faire manger à un enfant ce qu'il ne veut pas, au risque d'en payer le prix. Il existe aussi un autre facteur sur lequel on n'a pas de contrôle : la façon dont le corps d'un enfant a été programmé.

C'est tellement plus facile. Combien de parents résolument décidés à faire manger leur enfant appréhendent l'heure du repas comme un prochain combat ? Combien se plaignent de devoir préparer deux repas (ou plus !), sans succès bien souvent ! Combien de négociations et de querelles sur le nombre de bouchées de légume ou de viande à manger ont lieu autour de l'assiette ? Quel soulagement pour ces parents de réaliser que ce n'est pas leur travail d'introduire la nourriture dans l'estomac de leur enfant. Quel plaisir également de constater que tout le climat à table s'améliore lorsqu'ils arrêtent de se plaindre, de négocier, de menacer, de compter les bouchées ou de préparer des menus spéciaux.

Ça marche. D'une façon naturelle, l'enfant veut essayer, il veut apprendre, il veut plaire et réussir. Curieusement, c'est souvent lorsqu'on met moins de pression que les choses s'améliorent. Lorsqu'on cesse de vouloir contrôler ce que l'enfant mange, tout en s'assurant de lui fournir une bonne nourriture suivant un horaire régulier et dans une ambiance agréable, l'enfant mange mieux. Il s'intéresse plus aux aliments, il prend davantage plaisir à manger et il apprend, au rythme qui est sien, à goûter et à aimer.

L'APPLICATION DU PRINCIPE

Éviter de contrôler son enfant, lui permettre de manger lui-même, le laisser décider de ce qu'il mange et de la quantité qu'il mange, ça ne veut pas dire pour autant qu'il faille lui offrir n'importe quoi, n'importe quand et n'importe où ! Voici de quelle façon mettre en place le principe du partage des tâches. Ce sera notre credo.

Décider du menu. Laisserions-nous notre enfant conduire la voiture de la famille ? Probablement pas. Alors ne le laissons pas non plus décider du menu de la famille. Après tout, c'est nous qui connaissons le mieux les aliments et ce qu'il doit prendre pour grandir. De plus, c'est à l'enfant à s'adapter aux aliments que mange la famille et non à la famille de s'adapter aux préférences de l'enfant. C'est ainsi qu'il apprendra à aimer les aliments que nous aimons et à élargir son répertoire alimentaire.

Cuisiner (aussi souvent que possible !). Les enfants mangent d'abord parce que c'est *bon au goût* et non parce que c'est *bon pour eux* ! Malheureusement, peu de plats cuisinés commerciaux rivalisent avec ceux préparés à la maison au plan de la qualité gustative, nutritive et visuelle. Sans nécessairement tout faire, on peut tenter de préparer quelques bons repas cuisinés par semaine, en prévision des prochains repas pris à la course.

Réunir la famille à la table. L'heure du repas nourrit le corps mais aussi l'esprit. C'est une occasion de se détendre et de socialiser. Comme le repas du soir est souvent le seul moment de la journée où la famille peut se retrouver, on peut attendre que papa ou maman revienne du bureau pour se mettre à table, quitte à offrir une collation plus substantielle à l'enfant en après-midi. On insiste aussi pour que chacun se pointe à l'heure du repas, même s'il n'a pas faim ou qu'il est trop occupé !

Les repas pris en famille sont une belle occasion d'apprendre à aimer les aliments, ceux que l'on voit sur la table et que (bien sûr) papa et maman mangent avec plaisir. Des chercheurs de l'université Harvard ont remarqué que les enfants qui mangent plus fréquemment avec leur famille prennent plus souvent les cinq portions ou plus de fruits et de légumes recommandées quotidiennement et moins de boissons gazeuses. Ils reçoivent plus de fibres, de vitamines et de minéraux et moins de mauvais gras saturés et trans. En prime, ils succombent moins aux aliments frits lorsqu'ils mangent à l'extérieur de la maison[1]. Comme quoi ce que l'on consomme chez soi donne le ton à tout ce qu'on consomme ! Ces données confirment celles de plusieurs autres études[2].

Rendre les repas agréables. Pour que l'enfant mange bien, il faut d'abord qu'il soit bien. L'enfant que l'on force à manger par du chantage ou des menaces, celui qui s'ennuie ou se retrouve seul à table ou celui que l'on expose régulièrement à des querelles familiales risque fort de manger plus ou moins qu'il ne le ferait normalement. Plutôt que de faire manger notre enfant, asseyons-nous et mangeons avec lui. Concentrons-nous sur le plaisir d'être ensemble plutôt que sur ce que l'enfant mange.

Tenir les repas et les collations à heures régulières. Lorsque notre enfant était bébé, notre responsabilité était d'interpréter à tous moments ses signaux de faim et de satiété et d'être à son écoute. Nous le nourrissions sur demande jusqu'à ce qu'il soit satisfait. Maintenant qu'il est plus vieux, il profitera davantage d'une structure de repas et de limites claires. En d'autres mots, il doit apprendre qu'il y a des heures pour manger.

L'enfant qui mange n'importe quand risque davantage de manger n'importe quoi : biscuits, croustilles, boissons sucrées, crème glacée, friandises et autres aliments faciles d'accès. Il a moins faim pour les bons aliments du repas. Le fait de prévoir des collations et des repas réguliers procure au petit, qui dépend totalement de nous pour se nourrir, un sentiment de sécurité : celui que la nourriture viendra et qu'il n'a pas à y penser.

Ne pas manger entre les heures de repas et de collations. Notre mère avait raison : il faut éviter d'ouvrir inutilement la porte du frigo et de manger des bonbons avant le repas! Manger ne devrait pas être un moyen de se distraire ou de se désennuyer. Certains enfants qui grignotent à longueur de journée ne mangent pas suffisamment et grandissent mal. D'autres mangent trop et prennent du poids. D'autres encore, ceux qui se nourrissent des bonbons, boissons sucrées et biscuits qu'ils réclament, mangent mal.

Le laisser décider de la quantité qu'il mange. S'il décide de manger! Une fois qu'on a fait tout le travail précédent, et c'en est un considérable, notre travail est accompli! Ce que notre enfant avalera maintenant au repas ou à la collation, c'est son affaire.

OUI MAIS...

Que faire si, en dépit de nos bonnes intentions, notre enfant chigne, résiste, négocie? Voici des répliques possibles à quelques-uns des arguments préférés des petits (et de certains grands!).

« Je n'ai pas faim. »

Répondre : « Tu n'es pas obligé de manger ou de finir ton assiette. Viens t'asseoir à la table avec nous quelques minutes. »

Éviter de répondre : « Laisse-moi savoir quand tu auras faim » ou « Tant pis pour toi, tu vas avoir faim. »

Une fois à la table, il y a fort à parier qu'il mangera comme tout le monde. Sinon, on respecte notre promesse et on le laisse partir après quelques minutes en lui rappelant que rien d'autre ne lui sera servi avant l'heure de la collation (et on tient parole!).

« Maintenant, j'ai faim! »

Répondre : « Tu as dit tout à l'heure que tu n'avais pas faim. Va jouer et reviens à l'heure de la collation. »

Éviter de répondre : « Qu'aimerais-tu manger? » ou « Je te réchauffe ton repas immédiatement. »

La prochaine fois, il y pensera deux fois avant de ne pas manger. Rassurons-nous : sa croissance n'en sera pas affectée!

« Je veux des toasts pour souper. »

Répondre : « Ce n'est pas au menu. Tu pourras en avoir au petit-déjeuner demain. »

Éviter de répondre : « Oui, si ça te permet de manger. »

Ce n'est pas à lui de décider du menu. De toute façon, il a le choix parmi les aliments offerts au repas.

« Yeurk! C'est dégueulasse! »

Répondre : « Tu n'es pas obligé d'aimer ça, tu n'as pas à en manger, mais sois poli, tu peux dire "Non, merci". »

Éviter de répondre : « C'est bon, tu vas aimer ça », « Fais-moi plaisir et goûte », « Mange, c'est bon pour ta santé » ou « D'accord, tu n'auras pas de dessert! ».

En enseignant à notre enfant à être poli dans sa façon de refuser un aliment, on lui rend service dans ses relations avec les autres.

Chapitre 3
GRANDIR POUR MIEUX MANGER

Le comportement alimentaire est une habileté qui se développe chez les nourrissons et les jeunes enfants, soutient le Dr Maria Ramsay, psychologue et directrice de la Clinique de retard staturo-pondéral et des troubles alimentaires à l'Hôpital de Montréal pour enfants. Tout comme d'autres habiletés sensori-motrices (tels le langage et la motricité), l'habileté à se nourrir dépend de la maturation neurologique et des capacités d'apprentissage de l'enfant[1]. Ainsi, l'enfant apprend à manger lorsqu'il est prêt à manger.

En pratique, on observe une grande variabilité dans les habiletés à se nourrir chez les jeunes enfants, comme c'est le cas pour les autres habiletés du développement. Les sections suivantes présentent certaines particularités et recommandations propres à différents groupes d'âge (9 à 12 mois, 1 à 3 ans, et 3 à 5 ans). Elles seront utiles pour nous guider au fur et à mesure que l'enfant grandira. Évidemment, comme notre enfant est le seul à savoir ce qu'il est capable de manger, c'est donc d'abord lui qui nous guidera plutôt que son âge au moment de le servir.

LE NOURRISSON DE 9 À 12 MOIS
EXPÉRIMENTER ET FAIRE SOI-MÊME !

« Je veux le faire et le faire moi-même ! »

Bébé a entre 9 et 12 mois ? Il y a de bonnes chances qu'il soit maintenant assis dans une chaise haute et qu'il puisse saisir ses aliments entre le pouce et l'index, les porter à sa bouche et les mâcher en faisant aller ses petites mâchoires dans un mouvement de va-et-vient latéral. Peut-être s'exerce-t-il déjà au verre et à la cuillère ? Si tel est le cas, c'est le temps pour lui de passer à table !

Quand notre enfant était nouveau-né, nous le laissions probablement nous guider. Nous le nourrissions selon son horaire et avec ses aliments, soit ceux qui convenaient alors le mieux à ses besoins. C'est ainsi qu'il a appris à développer sa confiance dans le monde extérieur et à se sentir aimé et en sécurité. Maintenant, le moment est venu d'entreprendre la transition du mode d'alimentation « à la demande » du nourrisson au mode de repas et de collations des grands et de ne plus le considérer (même si nous n'y sommes pas encore prêt !) comme un bébé. D'ailleurs, peut-être nous a-t-il déjà manifesté avec ardeur son désir de manger ce que nous mangions et de le faire lui-même ! Voici quelques conseils.

L'introduire aux repas en famille. On approche la chaise haute du petit dernier le plus près possible de la table ou mieux, on retire le plateau de la chaise et on avance celle-ci à la table. L'enfant sentira qu'il fait partie de la famille et cela ne pourra que le motiver davantage à vouloir faire et manger comme les grands.

Modifier la texture des aliments au besoin. Le problème lorsqu'on arrive aux aliments de table, c'est généralement la texture. En particulier pour la viande et la volaille. Même lorsque l'enfant aura ses molaires, vers l'âge de 24 mois, il ne pourra mastiquer ces aliments parfaitement. Pour lui faciliter le travail, on peut essayer ce qui suit :

- Faire braiser ou mijoter les viandes jusqu'à tendreté, les hacher ou les couper très finement dans le sens contraire des fibres, puis les mouiller avec un peu de bouillon ou de liquide de cuisson des légumes. Suggestions de recettes : poulet à l'orange (p. 103), poulet marocain (p. 104) et ragoût d'automne (p. 98).
- Essayer la viande hachée, bien cuite mais encore juteuse, sous la forme de galettes, de boulettes ou de pain de viande, et les mets en casserole, à la condition que l'enfant ait déjà été initié à tous les ingrédients séparément pour éviter notamment les réactions allergiques possibles. Suggestions de recettes : coquettes coquillettes (p. 90) et pâté aux épinards et au millet (p. 94).
- Offrir d'autres aliments protéiques. Les œufs, lorsque l'enfant aura atteint 11 mois pour réduire le risque d'allergie aux œufs, le poisson et les légumineuses cuites écrasées, par exemple, ont une texture qui ne pose habituellement pas problème. Suggestions de recettes : saumon en casserole (p. 83), fish'n chips (p. 80) et sauce à spaghetti végétarienne (p. 88).

À *noter* : pour réduire les risques d'apparition de symptômes d'allergies alimentaires chez un enfant de famille à risque élevé, c'est-à-dire une famille où au moins un parent, un frère ou une sœur présente une allergie alimentaire, l'Association québécoise des allergies alimentaires recommande de retarder l'introduction des légumineuses et des œufs (blancs et jaunes) après l'âge de 18 mois et celle du poisson, après 2 ans.

Le laisser se nourrir lui-même. Les enfants, même les bébés, n'aiment pas qu'on leur facilite la vie. Ils préfèrent faire eux-mêmes chaque fois qu'ils le peuvent. C'est leur façon d'apprendre et de développer leur confiance. Lorsqu'ils ont l'impression d'avoir le contrôle, ils progressent même plus vite et prennent davantage d'initiatives!

Vers la fin de sa première année, l'enfant manifeste un vibrant intérêt pour ce qui se trouve sur la table. Il demande à manger ce que nous mangeons et il veut le faire lui-même, à sa façon. Il découvre qu'il est une personne distincte de celle qu'il aime le plus et c'est sa manière de l'exprimer. Alors si notre petit nous vole la cuillère lorsque nous essayons de le faire manger, le message est clair… laissons-le faire. Si nous persistons, il résistera et mangera probablement moins.

Pourquoi ne pas lui offrir des petits ustensiles et de la vaisselle juste pour lui? On peut aussi mettre la nourriture directement sur le plateau. Il adorera se battre pour attraper les petits morceaux et les mener à sa bouche et il tolérera plus facilement qu'on lui donne une bouchée à la cuillère de temps en temps, ce qui aidera à maintenir son apport d'aliments plus stable pendant cette période d'apprentissage. Évidemment, il faudra prévoir un peu plus de temps pour manger. Notre chérubin sera probablement barbouillé de la tête aux pieds. Le plancher et les murs n'y échapperont pas non plus, mais heureusement cette étape ne dure pas longtemps!

Bien des parents s'inquiètent de ce que leur enfant mange moins lorsqu'il passe des purées aux morceaux (et certains y passent du jour au lendemain!). Il est bon de savoir que les morceaux sont beaucoup plus denses que les purées sur le plan énergétique et que 5 à 10 morceaux de viande, de fruit ou de légume équivalent à environ 3 ou 4 cuillerées à soupe de purée.

Passer éventuellement au lait de vache entier. À partir de 9 mois, on peut offrir à l'enfant du lait de vache entier et pasteurisé dans un verre aux repas (pour plus de détails sur le choix des laits, consulter le chapitre 5). On devrait toutefois veiller à ce qu'il ne prenne pas plus de lait que de solides au repas (soit pas plus de 75 ml de lait s'il mange 75 ml de solides, par exemple). Lorsque l'enfant mangera chaque jour un peu de tout (des légumes, des fruits, de la viande, du pain, etc.) et entre 125 à 200 ml de céréales sèches pour bébés enrichies de fer, on pourra substituer complètement le lait de vache pasteurisé au sein ou à la préparation commerciale pour nourrissons.

À *noter* : il est normal à cette étape que l'enfant boive moins de lait. Il est davantage intéressé par les aliments de table que par le sein ou la bouteille, il n'est pas trop habile à boire au verre et il ne reçoit plus autant de boires qu'avant. Il n'y a pas lieu de s'inquiéter. Cette diminution de l'apport en lait est souvent temporaire.

LE PROMENEUR DE 1 À 3 ANS

L'AFFIRMATION

« Je veux ça et pas ça ! »

Bébé rampe ou marche à quatre pattes ou debout. Il explore le monde, résolument déterminé à se rendre où il veut aller. Il va et vient, dit non, défie et teste ses propres limites et les nôtres. Pendant les repas, il utilise ses doigts pour manger, pour apprendre à utiliser ses ustensiles et pour boire au verre, car il a plus de contrôle sur les muscles fins de ses mains et de ses bras.

En revanche, notre bambin exprime ses goûts et ses dégoûts de façon plus marquée. Il ne prend plus autant de plaisir à expérimenter les nouveautés. Certains petits qui jusqu'alors mangeaient de tout ou presque avec enthousiasme n'acceptent plus que les quelques mêmes aliments. L'enthousiasme a fait place au scepticisme. Notre petit s'affirme !

Or, malgré les apparences, l'enfant ne régresse pas. Au contraire, il progresse. Ce passage est une étape normale dans la quête de séparation et d'individualisation qu'il a amorcée vers l'âge de huit mois. Jusqu'à un an, il était mû par le désir de tout faire lui-même. Maintenant, il veut être sa propre petite personne. Évidemment, il n'est pas question de le laisser nous contrôler. Ni de le contrôler. Le temps est simplement venu de lui donner des limites et une structure. Ce faisant, nous réduirons son monde à une dimension qu'il peut maîtriser. Voici comment on peut s'y prendre.

Accepter ses goûts et son appétit changeants. Il peut se délecter d'un aliment à un repas et le rejeter au suivant. Il peut se gaver un jour et jeûner le lendemain. Il peut se contenter de un ou deux aliments du repas, comme il peut aussi prendre une bouchée de tout. De plus, il est facilement distrait et oublie quelquefois de manger…

Il est normal que l'enfant diminue ses quantités. Son corps grandit moins vite et requiert moins d'énergie. Même si sa faim et son appétit fluctuent comme des montagnes russes, il va chercher au fil des jours ce dont il a besoin.

Ajouter une structure et des limites. Il en a besoin. D'ailleurs, l'enfant qui grandit dans un milieu qui lui procure de l'amour et lui fixe des limites est plus susceptible de réussir et d'être heureux avec lui-même et les autres. On offre donc à l'enfant des repas et des collations dans un cadre structuré et on restreint ses demandes entre les repas (pour plus de détails sur la gestion des repas en famille, consulter les chapitres 2 et 6).

Être prêt à faire face à la tempête. Nos chéris savent ce qu'ils veulent et ne veulent pas faire et l'alimentation leur offre de multiples occasions de s'exprimer ! Il faut donc s'attendre et être prêt à ce que notre enfant se fâche, pleure, crie, fasse des crises ou lance sa nourriture quand il n'aura pas ce qu'il veut quand il le veut. Et à ce que le repas soit plus long et plus chaotique lorsqu'il mangera lui-même et à sa façon. Il renversera son lait, aura de la difficulté à couper, à mâcher et à avaler certains aliments, et s'étouffera peut-être. Armé de patience, il nous faudra tenir bon…

L'ENFANT DE 3 À 5 ANS
L'ÂGE (PLUS) FACILE!

« Bon, d'accord! »

Par comparaison avec les périodes précédentes, les années préscolaires sont aisées! L'enfant est moins prompt à réagir, moins explosif. Il se contrôle avec plus de facilité et se comporte mieux à table. Quand il a faim, il est capable d'attendre quelques minutes avant de manger. Il n'avale peut-être pas tout ce qu'on lui propose, mais il compose mieux avec ce qu'il aime moins. Il peut supporter des aliments nouveaux ou dont il n'est pas friand sans en faire un plat et lorsqu'il ne veut vraiment pas manger, il est capable de refuser poliment.

Cela dit, il n'est pas question pour autant de lâcher prise! On continue de lui fournir la même structure et les mêmes limites qu'avant. Simplement, on profite de sa capacité d'adaptation et de sa souplesse pour lui apprendre à aimer une variété croissante d'aliments et à manger de manière agréable et confortable dans un plus grand nombre d'endroits. Déjà, on le prépare au monde extérieur.

Reconnaître ses efforts. L'enfant de trois ans est moins sceptique face à la nouveauté et plus enclin à essayer, même s'il lui faut encore parfois goûter à plusieurs reprises avant d'apprécier. Il s'initie aux nouveautés pour le simple plaisir et non plus seulement pour affirmer son indépendance, comme il le faisait avant. N'empêche qu'il est davantage motivé lorsqu'on reconnaît ses efforts, qu'on apprécie ses initiatives. Si on le critique, qu'on fait une montagne de ses échecs, il pourra se décourager et se sentir coupable.

Donner l'exemple. À cet âge, l'enfant veut faire plaisir et imiter. Il est plus conscient de ce qu'on pense de lui, de la façon dont on le perçoit. Notre exemple devient un incitatif à manger particulièrement efficace.

Lui permettre des initiatives. Notre petit appréciera qu'on le laisse nous aider dans la cuisine ou choisir pour la famille un fruit, un légume ou un poisson à l'épicerie. Il sera peut-être fier d'avoir la responsabilité d'un petit coin du potager. Il pourra ainsi apprendre à cuisiner, à développer son intérêt pour les aliments et être plus enclin à goûter. Toutefois, comme les résultats ne sont pas garantis, mieux vaut lui accorder de tels privilèges d'abord pour le plaisir de partager ensemble des moments agréables.

LE GOÛT, ÇA SE DÉVELOPPE!

L'être humain est prédisposé à aimer les aliments sucrés ou salés et à éviter les aliments surs ou amers. Mais on peut apprendre à aimer pratiquement n'importe quoi. Il suffit pour s'en convaincre de penser à la diversité des préférences alimentaires dans le monde ou de se tourner vers les publications scientifiques, car les études conduites au cours des dernières années, notamment celles de l'université de l'Illinois, le confirment : les préférences alimentaires sont façonnées par l'expérience[2]. Les trucs suivants aideront l'enfant à développer son goût pour les aliments sains.

Introduire de la nouveauté. On ne peut apprécier que ce qu'on connaît! Pour qu'un enfant apprenne à aimer une variété d'aliments, il doit d'abord être en contact avec une variété d'aliments. C'est à travers ses expériences qu'il développera ses préférences. Il n'aimera peut-être pas tout mais plus on l'aura initié à un grand nombre d'aliments, plus il aura la chance d'en aimer! À l'inverse, si on met toujours la même chose sur la table, ses goûts seront forcément limités… à ce qu'il connaît.

Offrir un environnement sans pression. L'humain réagit naturellement à la force par la résistance! En règle générale, plus on contraint quelqu'un à manger ou à goûter, plus il résiste et moins il mange. Lorsqu'il mange, il n'aime pas! Rien d'étonnant puisque à tant insister, on lui envoie le message que ça ne doit pas être très bon… À l'inverse, l'interdit est tellement tentant! À preuve : mentionnez à votre petit que les asperges ou les huîtres dans votre assiette sont des aliments de grands. Vous le verrez se précipiter sur eux… Alors en toutes circonstances, on laisse l'enfant libre de manger ou non un aliment. On peut lui suggérer de goûter, mais on ne l'y force jamais.

Persévérer. Plus l'enfant est mis souvent en contact avec un aliment, plus il a de chances de parvenir à l'aimer. Cela pourra prendre 5, 10 ou même 15 repas mais tôt ou tard, il y goûtera et dans la majorité des cas, si on persiste à le lui offrir, il finira par l'apprécier.

Donner l'exemple. L'enfant apprend en imitant. Il risque davantage de goûter et d'aimer un aliment lorsqu'une personne qui lui est significative (un ami, un frère ou une sœur, l'éducatrice de la garderie ou le parent) mange et aime cet aliment. Alors on recrute des alliés à table et bien sûr, on prêche par l'exemple. Si l'enfant nous voit manger et aimer un aliment, il assumera que c'est bon et se fera petit à petit à l'idée que manger de cet aliment est LA chose à faire. C'est ce que le fils de Marie, Julien âgé de trois ans, exprimait récemment au sujet des asperges : «Quand je serai un monsieur, je vais aimer ça, parce que les monsieurs aiment ça!»

Chapitre 4
LES MANGEURS À PROBLÈMES

Un enfant qui mange peu, qui ne mange pas assez souvent ou qui ne mange pas ce qu'il devrait manger, ça peut être drôlement angoissant pour un parent! Or l'enfant a ses raisons et même le petit mangeur et l'enfant difficile peuvent apprendre à manger et à aimer les aliments.

QUAND Y A-T-IL UN PROBLÈME ?

D'une façon générale, l'appétit de l'enfant est adapté à ses besoins en énergie. Comme ceux-ci fluctuent d'un mois, d'une semaine et même d'un jour à l'autre, au gré des poussées de croissance, des petits bobos et parfois des humeurs, il est normal que l'appétit en fasse autant… Dans d'autres cas par contre, le refus de s'alimenter d'un enfant peut avoir une cause plus sérieuse et nuire à sa croissance et à son développement. Plus de 25 % de tous les enfants présenteraient des problèmes alimentaires. Voici certaines particularités du «mangeur à problèmes».

- L'enfant refuse ou ne peut pas manger les types ou les quantités d'aliments appropriés pour son âge.
- Il souffre d'aversions qui lui font refuser plusieurs aliments.
- Il prend beaucoup plus de temps à manger que la normale.
- Il demande rarement à manger ou est satisfait de très peu de nourriture.
- Il ne prend pas assez de poids ou ne suit pas la courbe de croissance d'un enfant de son âge.

L'enfant qui présente l'une ou l'autre de ces caractéristiques peut avoir un problème d'alimentation. Le pédiatre ou le diététiste nous aideront à en identifier la source et à entreprendre au besoin l'intervention la plus appropriée.

À QUOI EST-CE DÛ ?

Selon Dr Maria Ramsay, psychologue et directrice de la Clinique de retard staturo-pondéral et des troubles alimentaires à l'Hôpital de Montréal pour enfants, tout problème alimentaire a une origine physiologique. Le refus de manger et les troubles de comportement de l'enfant ne sont pas les *causes* du problème, mais plutôt les *conséquences*. En d'autres mots, lorsqu'un enfant refuse de manger, c'est d'abord que quelque chose ne va pas parfaitement chez lui. Par la suite, ce refus peut engendrer des difficultés relationnelles entre l'enfant et le parent, qui s'ajoutent au problème d'alimentation pour l'aggraver ou l'entretenir[1].

Le Dr Ramsay regroupe les problèmes d'alimentation d'origine physiologique en trois catégories qui, selon son expérience, se manifestent fréquemment de façon simultanée. Ce sont : le manque d'appétit, les problèmes de sensibilité orale et les problèmes de motricité de la bouche et du pharynx. Environ 80 % des problèmes seraient sensoriels, estime le Dr Ramsay.

a) Le manque d'appétit (le cas du petit mangeur)

Pour manger et apprendre à manger, il faut être motivé à manger et c'est là le rôle de l'appétit. Un enfant qui a peu d'appétit a peu d'intérêt pour la nourriture. Or l'appétit ou la sensation de faim n'est pas la même chez tous les enfants : elle peut être intense, faible ou même variable. Certains bébés, par exemple, semblent constamment affamés, alors que d'autres ne se réveillent pas pour leurs boires durant les premiers mois de vie. Un enfant qui ressent peu les signaux de la faim, qui ne semble pas posséder ce désir de manger sera peu porté vers la chose. Il ne demandera pas à manger, sera facilement distrait aux repas et sera satisfait après quelques bouchées seulement.

b) Les problèmes de sensibilité orale

Certains enfants démontrent une sensibilité exagérée de la région buccale, alors que d'autres ne sont pas assez sensibles à ce niveau.

L'hypersensibilité. Un enfant peut être particulièrement sensible à la consistance ou à la température des aliments, ou encore à une texture spécifique (tout comme un adulte peut mal supporter les épices). Très tôt, lorsqu'il était bébé, il pouvait avoir tendance à régurgiter lorsqu'on introduisait un objet (tétine, jouet, doigt ou aliment) dans sa bouche ou encore, quand il avalait. Il pouvait mettre de la nourriture dans sa bouche et la mâcher mais, plutôt que l'avaler, il la crachait.

Un tel enfant est facilement perçu par son entourage comme étant difficile, capricieux ou fine bouche, car on pourrait croire qu'il refuse délibérément de manger certains aliments. Or, sa bouche étant très sensible, cet enfant perçoit les sensations de façon exagérée, voire désagréable. C'est pourquoi il réagit et résiste à la

nouveauté et au moindre changement ! Un enfant dont l'hypersensibilité est très marquée peut même avoir des haut-le-cœur ou vomir lorsqu'on lui présente un nouvel aliment ou une nouvelle texture.

Cela dit, les comportements alimentaires du parent influencent inévitablement ceux de l'enfant. Le parent qui, par exemple, exprime ouvertement son dégoût pour un aliment ou qui, plus subtilement, n'offre pas à son enfant ce que lui-même n'aime pas n'aide assurément pas les choses.

L'hyposensibilité. À l'autre extrême, il est plus rare que des enfants soient moins sensibles que la moyenne aux saveurs, aux textures ou à la consistance des aliments. Chez les bébés hyposensibles, on remarque que le contact de l'aliment avec la bouche n'entraîne pas automatiquement le réflexe de sucer ou de mastiquer. Ils peuvent tenir leur biberon pendant plusieurs minutes sans téter. Ou garder des aliments dans la bouche longuement sans les mâcher. Ces enfants ne sont pas intéressés par les aliments. Ils peuvent être stimulés à manger par de nouvelles saveurs mais, une fois l'intérêt de la nouveauté passé, ils redeviendront très lents à mastiquer ou à avaler. On comprend pourquoi ces enfants préfèrent souvent les aliments épicés !

c) Les problèmes de motricité de la bouche et de la gorge

D'autres enfants ont un réflexe de succion inefficace ou de la difficulté à mastiquer et à avaler à cause d'un faible tonus musculaire ou d'un mauvais contrôle des lèvres, de la langue ou du mouvement de la gorge. Ils ont tendance à échapper des aliments en mâchant, à laisser du liquide s'écouler sur leur menton ou à s'étouffer.

Les troubles de comportement associés

Le fait d'avoir affaire à un enfant qui refuse de s'alimenter n'est pas facile. Et cela entraîne presque inévitablement aux repas des comportements problématiques, tant chez l'enfant que chez le parent. Celui-ci réagit au refus de l'enfant par des réclamations, des menaces ou du chantage pour le faire manger. L'enfant, qui comprend très vite la stratégie, réagit au parent à sa manière : il crie, il pleure, il recrache ou lance la nourriture, il négocie, il se sauve de la table… Des affrontements qui renforcent inévitablement les comportements alimentaires problématiques.

QUOI FAIRE ?

Ne pas se blâmer. Il faut prendre conscience qu'à l'origine, le refus de manger n'est pas voulu par l'enfant et qu'il n'est pas dirigé contre le parent. Il est simplement relié à une difficulté chez l'enfant. Ce dernier a de la difficulté à apprendre à manger, comme un autre peut avoir de la difficulté à apprendre à parler ou à marcher.

Ignorer les comportements négatifs durant les repas. Tout comme on le fait en d'autres circonstances. L'enfant crache ou lance sa nourriture ? On détourne la tête ou on lui dit calmement mais fermement de ne pas faire ça. S'il persiste, on retire son assiette sans lui offrir de solution de rechange.

Appliquer le principe du partage des tâches (voir le chapitre 2). Encore une fois, il s'agit de prendre les repas et les collations à heures régulières, de faire du repas un moment agréable en famille, d'être un modèle pour l'enfant, d'accepter son refus et de ne jamais le forcer à manger ou exercer sur lui du chantage ou des menaces. La situation ne pourra que s'améliorer.

Mettre à l'épreuve les conseils de la section qui suit, au besoin. Ces conseils pourront aider dans le cas où l'enfant ne prend pas suffisamment de lait, de viande ou de légumes.

Être réaliste. Un enfant difficile aura besoin de plus de temps pour aimer les aliments. Et il faut l'accepter.

Consulter au besoin. L'heure du repas s'avère un moment nettement désagréable pour l'enfant ou le parent, ou on craint que l'enfant ne mange pas ce qu'il devrait en quantité adéquate ? Mieux vaut en parler au pédiatre ou au diététiste, qui nous aidera à mieux cerner le problème et à intervenir de la façon la mieux adaptée.

POUR AIDER L'ENFANT À MANGER…

Encore une fois, ce que l'on veut faire manger à son enfant, il faut d'abord le manger soi-même! On peut suggérer à son enfant de goûter, mais ne jamais l'y forcer. Si on insiste trop, il le sentira et sera tenté de résister ou d'utiliser cet aliment pour nous manipuler. Voici ci-dessous des façons d'aider l'enfant à manger les aliments qui, avouons-le, constituent le plus grand défi à aimer : le lait, la viande et les légumes. On trouvera d'autres informations sur ces aliments, leurs équivalents et les quantités recommandées au chapitre 5.

Le lait

L'enfant d'âge préscolaire devrait boire chaque jour 500 ml de lait ou l'équivalent sous la forme d'autres produits laitiers comme le fromage ou le yogourt.

Faire du lait la boisson de toute la famille. Comme on le fait pour les autres aliments, on verse à l'enfant une petite quantité de lait aux repas. Ou on met le lait sur la table et on attend qu'il en réclame ou se serve… en buvant soi-même son lait! Si on ne peut pas en boire, on boit de l'eau, du thé ou du café et surtout rien de plus attrayant comme une boisson gazeuse ou du jus.

Fortifier le lait. Il s'agit d'incorporer 125 ml de poudre de lait à 500 ml de lait et d'utiliser ce lait «amélioré» pour cuisiner. Une quantité de 250 ml équivaut à 375 ml de lait ordinaire. On peut aussi se procurer sur le marché du lait déjà enrichi en calcium, qui contient environ 33 % plus de calcium que le lait ordinaire.

Fortifier d'autres aliments. On peut aussi incorporer un peu de poudre de lait à la viande hachée (125 ml de poudre pour 500 g de viande, plus 30 ml d'eau), à la farine (30 ml de poudre pour 250 ml de farine) ou à divers aliments : potages, omelettes, plats en casserole, sauces blanches, poudings ou yogourts.

Cuisiner le lait. On en fait quelque chose que l'enfant aime : un potage, une sauce blanche, un lait frappé aux fruits, un pouding au riz, un blanc-manger… On peut aussi l'incorporer dans les pommes de terre en purée, le gruau (à la place de l'eau), le macaroni au fromage et les omelettes. Suggestions de recettes : saumon en casserole (p. 83), gratin au jambon à la Popeye (p. 84) et pain doré aux bananes (p. 68).

Utiliser du fromage et du yogourt. S'ils n'apportent pas la vitamine D du lait (à l'exception de certaines marques de yogourt), ils fournissent à tout le moins son précieux calcium. À ce chapitre, une portion de 25 g de fromage ou de 125 ml de yogourt remplace 125 ml de lait. Quant au lait au chocolat et aux desserts glacés, mieux vaut les offrir à l'occasion seulement étant donné leur contenu plus élevé en sucre.

La viande

L'enfant d'âge préscolaire devrait manger deux portions de viande par jour ou l'équivalent de substituts de la viande. La grosseur de la portion équivaut à environ une grosse cuillerée par année d'âge, ce qui signifie par exemple deux grandes cuillerées pour un enfant âgé de deux ans.

Offrir des choix humides et faciles à mastiquer. On fait braiser ou mijoter la viande plutôt que de la faire griller ou rôtir, et on la coupe en petits morceaux dans le sens contraire des fibres. On en incorpore à des ragoûts, des soupes, des farces, des riz ou des sauces aux tomates pour pâtes, pizza ou chili. On peut aussi essayer la viande hachée sous la forme de pains de viande, de boulettes et de galettes. Suggestions de recettes : cannelloni de Florence (p. 91), super-pain de viande (p. 99), boulettes aigres-douces (p. 100), burritos de Juanita (p. 74) et poulet marocain (p. 104).

Servir la viande en très petites bouchées. Comme le constate en clinique une collègue diététiste, un enfant qui refuse une bouchée de viande de la taille d'un bleuet peut accepter une bouchée deux fois plus petite qu'un pois vert !

Essayer des substituts de la viande. La volaille, le poisson, le tofu, les œufs, le beurre d'arachide, les noix, les graines et les charcuteries végétariennes remplacent la viande sur le plan nutritif. Suggestions de recettes : croquettes végétariennes (p. 86), tofu-sésame, mange-moi ! (p. 96), coquettes coquillettes (p. 90), œufs en rouleaux (p. 69) et crêpes de Pedro (p. 75).

Les légumes

L'enfant d'âge préscolaire devrait manger deux ou trois légumes par jour. La grosseur de la portion équivaut à une grosse cuillerée par année d'âge, ce qui signifie par exemple deux grandes cuillerées pour un enfant âgé de deux ans.

Servir une soupe, une sauce, une purée ou un jus de légumes. Suggestions de recettes : purée de patates et patates (p. 58), sauce aux légumes (p. 59), velouté de carottes (p. 53), potage de la ferme à Mathurin (p. 52) et paillassons de légumes (p. 56).

Offrir des crudités. Ce peut être avant le repas pour aider à patienter, au repas ou même à l'heure de la collation, accompagnés ou non d'une trempette. Plusieurs enfants les préfèrent aux légumes cuits.

Prévoir deux choix par repas. On augmentera ainsi les chances que l'enfant en mange au moins un.

Y ajouter une sauce ou un peu de beurre ou de margarine. Certains enfants les trouvent plus intéressants ainsi et de toute façon, comme nous le verrons au chapitre suivant, l'enfant peut se permettre un peu plus de gras que l'adulte.

En incorporer de petits morceaux à des recettes. Il peut s'agir d'une omelette, d'une purée de pommes de terre, d'un plat en casserole, d'un riz, d'un sauté de viande, d'une sauce blanche, d'un plat de pâtes ou d'une sauce à spaghetti. Suggestions de recettes : sauce à spaghetti végétarienne (p. 88), baguette farcie au poulet (p. 78), pain de lentilles (p. 87), croquettes de saumon (p. 82) et ragoût d'automne (p. 98).

Chapitre 5
QU'EST-CE QU'ON MANGE ?

L es bons aliments que nous apportons tous les jours à la table fournissent à notre enfant l'énergie et les matériaux dont son petit corps a grand besoin pour bouger et grandir. Et ils lui permettent d'acquérir des habitudes alimentaires dont il bénéficiera toute sa vie.

DE QUOI L'ENFANT A-T-IL BESOIN ?

Vers l'âge de un an, notre petit dépendra principalement des aliments de table pour satisfaire ses besoins nutritionnels. Il aura alors besoin chaque jour des quantités minimales suivantes pour chacun des groupes d'aliments :

- **produits céréaliers : 5 portions**
- **fruits et légumes : 5 portions (2 fruits et 3 légumes)**
- **produits laitiers : 2 portions**
- **viandes et substituts : 2 portions**

Voici en quoi chacun de ces groupes est indispensable.

Les produits céréaliers

La plupart des enfants sont friands des aliments de ce groupe (comme les pâtes, le riz, le pain, les craquelins et les céréales du matin) et n'ont pas à se faire prier pour en consommer. Leur contenu élevé en glucides complexes (ou amidon) en fait de bons agents de remplissage. Les produits céréaliers sont aussi de bonnes sources de vitamines B et de fer et, s'ils sont faits de céréales entières, de fibres, de zinc et d'autres minéraux.

Sur le plan nutritionnel, les produits céréaliers de grains entiers ont incontestablement une longueur d'avance sur leurs cousins raffinés. Malgré cela, il n'est pas nécessaire ni même souhaitable d'en faire un usage exclusif chez l'enfant. Trop de fibres peut nuire à l'absorption de certains minéraux et, en prenant de la place dans l'estomac, couper l'appétit de l'enfant et le priver de calories essentielles à sa croissance.

Que faire alors ? On peut servir des produits de céréales entières la moitié du temps seulement. Le reste du temps, on offre des

Lorsque vous cuisinez, prenez l'habitude de doubler ou de tripler les recettes à préparer. Congelez le surplus du repas dans des contenants de plastique qui vont au congélateur et au micro-ondes.

produits raffinés, de préférence «enrichis» (l'étiquette en fait alors mention). Les produits enrichis ont été additionnés de vitamines B et de fer pour compenser en partie les pertes subies pendant la transformation, ce qui fait d'eux de meilleurs choix que les produits raffinés non enrichis. On peut aussi, comme nous l'avons fait à plusieurs reprises dans ce livre, utiliser un mélange de farine blanche et de farine entière dans les recettes.

Les fruits et légumes

Ce sont nos meilleures sources de vitamines A et C. Ils fournissent aussi des vitamines B (comme l'acide folique), du fer, du calcium, des phytochimiques (des substances présentes exclusivement dans les aliments végétaux et qui ont le pouvoir de prévenir plusieurs maladies chroniques, notamment les maladies cardiaques et le cancer) et d'autres éléments essentiels. En règle générale, plus les fruits et les légumes sont colorés orange ou vert foncé, plus ils sont riches en nutriments comme la vitamine A et l'acide folique. Mais comme de nombreux phytochimiques bienfaisants sont des pigments qui donnent leur couleur aux fruits et aux légumes, on gagne à remplir notre panier d'épicerie d'un arc-en-ciel de couleurs :

- de rouge : fraises, framboises, canneberges, tomates et poivrons;
- d'orangé : carottes, patates douces, cantaloups, citrouilles et oranges;
- de jaune : maïs, courges, pamplemousses et citrons;
- de vert : brocoli, épinards, choux, petits pois et verdures;
- de bleu (ou de pourpre) : raisins, bleuets et cerises;
- et même de blanc : oignons, poireaux, choux-fleurs et ail.

Meilleur, le frais?

Pas toujours. Un légume frais qui a voyagé pendant plusieurs jours, ce qui est souvent le cas, surtout en hiver, et pas toujours dans des conditions optimales avant d'atteindre le supermarché n'est pas nécessairement plus nutritif qu'un produit surgelé ou en conserve. Le légume frais qu'on a oublié une semaine (ou plus!) au fond du frigo ou qu'on a surcuit ne l'est sans doute pas non plus. Les légumes transformés sont cueillis à pleine maturité, au moment où ils débordent de saveur, de tendreté et de valeur nutritive. Ils sont soumis dans les quelques heures suivant la récolte à la mise en conserve ou à la surgélation, qui scelle leur fraîcheur pendant plusieurs mois. Nul doute qu'ils méritent une place de choix sur nos tables.

Pratiques, les surgelés !

Les légumes surgelés sont blanchis à la vapeur et surgelés sans ajout de sel, de colorant, d'agent de conservation ou d'autres additifs. Mais encore, ils n'ont pas leur pareil pour nous simplifier la vie.

- **Rapides à préparer.** Ils se préparent en un tournemain car ils sont déjà lavés, parés, coupés, et souvent mélangés. Pas même besoin de les dégeler! Et comme ils sont déjà blanchis, ils cuisent plus vite encore que les produits frais.
- **Variés.** Ils sont disponibles 12 mois par année, se conservent pendant un an ou plus et se déclinent en une variété de choix, du traditionnel petit pois aux mélanges de légumes les plus exotiques.

Profitez d'un moment libre pour laver et couper une variété de légumes crus ou pour faire cuire un poulet, un rôti, une bonne quantité de riz ou une chaudronnée de soupe.

- **Économiques.** Ils sont souvent moins chers que les produits frais, surtout hors saison, et n'offrent que la partie comestible de l'aliment. Puisqu'on n'utilise que la quantité nécessaire et que la portion restante se conserve facilement, fini le gaspillage!

Les produits laitiers

Les produits laitiers sont bons pour les enfants et même essentiels. Ils leur fournissent d'importantes quantités de protéines en plus d'être leur source première de calcium, qui sert à la formation d'os et de dents solides, et de vitamine D, qui aide à bien assimiler le calcium. L'intolérance permanente au lactose (le sucre du lait) est rare avant l'âge scolaire. Quant à l'allergie aux protéines du lait, elle disparaît généralement avant l'âge de deux ans. La très grande majorité des jeunes enfants peuvent donc sans problème boire leur lait «comme ça leur plaît», tout comme les grands d'ailleurs!

Vous devez utiliser le robot culinaire? Profitez-en pour couper ou hacher de l'oignon, du céleri, des carottes et du fromage. Mettez dans des petits contenants de plastique et congelez en prévision des recettes à préparer.

Le lait : entier, 2 %, 1 % ou écrémé?

De 9 à 12 mois : on opte pour le lait entier (3,25 %). Si l'enfant mange chaque jour un peu de tout (des légumes, des fruits, de la viande, du pain, etc.) et entre 125 à 200 ml de céréales sèches pour bébés enrichies de fer, on peut passer du lait maternel ou de la préparation commerciale pour nourrissons au lait entier (3,25 %) pasteurisé. Son alimentation compensera alors pour les nutriments qui sont absents dans le lait, comme le fer et la vitamine C. Pourquoi le lait entier? Parce que le gras du lait demeure une source importante d'énergie (ou calories) et d'acides gras essentiels (notamment au développement du cerveau) pour le nourrisson dont la croissance est rapide et la capacité de l'estomac limitée.

De 1 à 2 ans : on opte aussi pour le lait entier (3,25 %). La Société canadienne de pédiatrie recommande d'éviter les laits écrémés ou partiellement écrémés à 1 % ou à 2 % avant l'âge de deux ans. Ils sont plus faibles en calories et ne contiennent pas suffisamment d'acides gras essentiels. Lorsque la quantité de calories est insuffisante pour combler ses besoins, l'enfant compense en consommant des quantités plus grandes de lait et d'aliments solides; malgré cela, les apports en éléments nutritifs et en énergie peuvent ne pas être suffisants et compromettre sa croissance et son développement.

De 2 à 5 ans : on opte pour le lait entier (3,25 %) ou partiellement écrémé à 2 %. Le lait entier convient pendant toute la petite enfance et l'âge préscolaire. Mais plusieurs familles préfèrent mettre l'enfant au lait partiellement écrémé pour n'utiliser qu'une sorte de lait. C'est acceptable dans la mesure où l'enfant aime et boit ce lait, qu'il grandit bien et que son alimentation inclut d'autres sources de matières grasses : de l'huile ou des graisses ajoutées à la cuisson, de la viande, du fromage, de la crème glacée, du beurre ou de la margarine sur le pain, des vinaigrettes ou autres. Quant au lait écrémé, il ne devrait pas être utilisé avant l'âge de cinq ans.

Et le lait de chèvre?

Le lait de chèvre non enrichi ne possède pas les mêmes avantages nutritionnels que le lait de vache. Mais la bonne nouvelle, c'est qu'on trouve maintenant à l'épicerie du lait de chèvre frais pasteurisé qui est additionné de vitamines A et D et d'acide folique. De petits ajouts qui en font un excellent substitut au traditionnel lait de vache. À noter toutefois : comme le lait de chèvre contient autant de lactose que le lait de vache, il ne convient pas davantage que lui aux enfants intolérants au lactose.

Sur son concurrent bovin le lait de vache, le lait de chèvre enrichi possède trois grands avantages. Il est :

- **plus digestible :** il contient des protéines qui coagulent dans l'estomac en flocons plus friables et donc plus faciles et rapides à digérer. Son gras contient des molécules plus courtes qui n'ont pas (ou ont peu) besoin d'enzymes pour être digérées et qui ne requièrent pas de bile pour être émulsifiées;

- **plus nutritif** : le lait de chèvre enrichi renferme plus de calcium, de magnésium, de phosphore, de potassium, de vitamine A et d'autres nutriments;

- **moins allergène** : ses protéines possèdent certaines particularités qui le rendent moins allergène. Il peut donc être utile pour traiter les personnes allergiques aux protéines du lait de vache (sauf les nourrissons allergiques, qui peuvent aussi réagir aux protéines du lait de chèvre) ou celles qui, sans être franchement allergiques, présentent des symptômes d'allergies comme l'asthme ou l'eczéma.

Et les boissons à base de céréales ou de légumineuses ?

Les boissons de soja, de riz, d'amande ou d'autres céréales ou légumineuses ne contiennent pas de protéines bovines ni de lactose, de sorte qu'elles peuvent convenir aux enfants qui sont intolérants à ces substances et aux familles végétariennes strictes. Mais si on veut les substituer en totalité au lait de vache, il faut s'assurer de choisir les versions qui ont été enrichies au moins en calcium et en vitamine D et de préférence, pour les enfants végétariens stricts, en vitamine B_{12}.

Et le lait non pasteurisé (ou lait cru) ?

Le lait cru acheté directement de la ferme est à proscrire à tout âge, car il peut entraîner de sérieuses maladies (poliomyélite, typhoïde, encéphalite, tuberculose, diarrhée, salmonellose et autres) et, n'étant pas enrichi, une carence vitaminique. Le lait pasteurisé présente les mêmes bienfaits nutritionnels que le lait cru, sans les risques, et il est si facile à trouver, puisque tout le lait vendu à l'épicerie est pasteurisé.

Les viandes et leurs substituts

Ils fournissent la plus grande part de nos protéines et sont de bonnes sources de vitamines B, de fer et d'autres minéraux. Le groupe comprend la viande, la volaille, le poisson et leurs substituts comme les œufs, les légumineuses, le tofu, les charcuteries végétariennes, les noix, les graines et le beurre d'arachide. Quant au fromage, il renferme des protéines mais peu de fer et d'autres minéraux présents dans la viande, la volaille et le poisson. Pour ces raisons, on le classe plutôt dans les produits laitiers.

L'avantage viande. La viande, la volaille et le poisson contiennent une forme de fer, appelée fer «hémique» ou «animal», que le corps assimile très bien, et beaucoup mieux que le fer des légumes, des légumineuses ou des produits céréaliers. En prime, la chair animale a le pouvoir d'améliorer de deux à quatre fois l'absorption du fer de tous les aliments du repas. L'enfant d'âge préscolaire est encore à risque élevé d'anémie ferriprive (par manque de fer). Un bon truc pour maximiser l'absorption du fer à tout âge : lorsque le repas comprend une source de protéines autre que la viande, la volaille ou le poisson (comme des légumineuses, du tofu ou des œufs), prévoir à ce même repas une bonne source de vitamine C (jus de tomate, d'agrume ou d'autre fruit enrichi, brocoli, kiwi, cantaloup, orange, poivron ou autres). Celle-ci convertit le fer de tous les aliments du repas en une forme plus facilement assimilable.

QUELLES QUANTITÉS SUFFISENT ?

Rassurons-nous! Les portions dont un jeune enfant a besoin pour couvrir ses besoins nutritionnels sont petites, et souvent plus petites que ce qu'on pense qu'il devrait manger ou que ce qu'il mange réellement! D'une façon générale, comme le montre le tableau suivant, on calcule une grosse cuillerée d'un aliment donné par année d'âge.

Au quotidien, l'enfant mangera probablement plus que ces quantités minimales. Il y aura aussi des jours où il mangera moins et d'autres jours où il mangera plus. L'important, c'est que sur une période de deux ou trois semaines, sa consommation moyenne atteigne les quantités indiquées pour chacun des groupes d'aliments. Elle se situe bien au-delà du minimum pour un groupe d'aliment donné? Cela survient souvent, en particulier pour le lait ou les produits céréaliers, mais n'est pas dramatique dans la mesure où sa consommation moyenne pour les autres groupes d'aliments atteint au moins le minimum. Par contre, si l'enfant surconsomme certains groupes au détriment d'autres (ce qui peut arriver par exemple s'il boit beaucoup de lait ou de jus et qu'il n'a plus faim pour bien manger aux repas), il faudra alors (et seulement alors) imposer des limites, car aucun groupe ne peut se substituer à un autre.

PORTIONS SUFFISANTES POUR DIFFÉRENTS ALIMENTS

ALIMENTS	QUANTITÉS SUFFISANTES*	
	DE 1 À 3 ANS	DE 3 À 5 ANS
Produits céréaliers		
Pain	1/4 à 1/2 tranche	1/2 à 1 tranche
Céréales froides	50 à 125 ml	125 à 200 ml
Céréales chaudes (une fois cuites)	15 à 45 ml	45 à 75 ml
Riz et pâtes (une fois cuits)	15 à 45 ml	45 à 75 ml
Fruits et légumes	15 à 45 ml	45 à 75 ml
Produits laitiers		
Lait	125 ml (environ 500 ml/jour ou l'équiv. d'autres produits laitiers)	125 à 200 ml (environ 500 ml/jour ou l'équiv. d'autres produits laitiers)
Fromage	20 g	20 à 25 g (1 tranche de fromage fondu)
Yogourt	125 ml	125 à 200 ml
Viandes et leurs substituts		
Viande, volaille et poisson	15 à 45 ml	45 à 75 ml
Œuf	1/2	1
Noix, graines, beurre d'arachide	15 ml	30 ml
Légumineuses cuites et tofu	15 à 45 ml	45 à 75 ml

* Ces portions sont les quantités minimales que l'enfant doit consommer pour réussir à combler ses besoins nutritionnels. En pratique, celui-ci mangera probablement plus que ces quantités.

Enveloppez hermétiquement, puis congelez les muffins et les biscuits, de même que les pains de viande et les pains aux fruits, coupés en tranches.

DOIT-ON LIMITER LE GRAS ?

Doit-on restreindre la consommation de gras chez l'enfant, comme on recommande de le faire chez l'adulte ? Selon les recommandations actuelles, la réponse est non. Ces recommandations, publiées dans le dernier rapport de la Société canadienne de pédiatrie et de Santé Canada, stipulent que tout au long de l'enfance, on doit éviter de limiter l'accès à des aliments nutritifs sous prétexte qu'ils sont plus gras. Selon les données évaluées par le groupe de travail mandaté par les deux organismes, rien ne prouve qu'un régime plus faible en gras chez l'enfant réduise les risques de maladie plus tard dans la vie ou aurait des conséquences bénéfiques pendant l'enfance. Cela pourrait même compromettre sa croissance et son développement[1].

Les enfants ont de grands besoins énergétiques, mais un petit estomac. Et le gras est une source concentrée de calories. Il fournit également l'énergie longue durée dont l'enfant a besoin jusqu'au prochain repas, car il retarde le passage des aliments de l'estomac à l'intestin et libère son énergie de façon lente et progressive. Bref, les aliments plus gras, s'ils sont aussi nutritifs, ont leur place au menu de l'enfant. Comment s'assurer alors qu'il en prenne suffisamment et pas trop ? Voici quelques conseils.

Préparer le même menu faible en gras pour toute la famille. On évitera ainsi de faire les repas en double (un repas pour les enfants et un pour les adultes) ou même en triple (pourquoi pas aussi un repas pour nos ados ?)…

Ajouter des choix plus riches en gras pour l'enfant. Ce peut être du fromage, de la crème glacée, du beurre d'arachide, des noix, une sauce, une vinaigrette, du beurre, de la margarine ou du lait entier. L'idée, c'est de permettre à l'enfant d'avoir accès au repas à des aliments aux contenus variés en gras.

Laisser l'enfant choisir parmi la variété sur la table. En utilisant ses signaux de faim et de satiété, il mangera davantage de gras quand il aura davantage besoin de calories, et moins quand il en aura moins besoin.

PEUT-ON BOIRE TROP ?

« Trop, c'est comme pas assez ! », entend-on souvent. Et avec raison. Un enfant qui boit beaucoup de lait, de jus ou d'eau, tout comme de boissons gazeuses ou à saveur de fruit, n'aura pas faim pour bien manger aux repas. Il lui sera plus difficile d'aller chercher tous les nutriments dont il a besoin. La raison est simple : en prenant de la place dans l'estomac, trop de liquide coupe l'appétit pour les aliments solides, plus denses en calories et en nutriments.

Le lait. Aussi nourrissant soit-il, il ne fournit pas tout. Il n'y a pas de mal à ce que l'enfant boive plus que les 500 ml de lait environ dont il a besoin chaque jour, mais dans la mesure où il mange suffisamment de produits céréaliers, de fruits, de légumes et de viandes (ou de leurs substituts).

Le jus. C'est certainement la boisson dont on abuse le plus chez les petits. Rien d'étonnant : les enfants aiment généralement le jus et ils en boiraient à volonté si on les laissait faire. Or, tout comme le lait, le jus ne fournit pas tout. Et une consommation élevée (supérieure à 375 ml par jour chez un enfant d'âge préscolaire) peut compromettre la croissance[2]. Les sucres que le jus contient naturellement peuvent également causer de la diarrhée, des gaz, des ballonnements et la carie dentaire.

Pour ces raisons, la Société canadienne de pédiatrie estime qu'un maximum de 60 ml de jus par jour pour le nourrisson et de 125 ml pour l'enfant âgé de plus de 18 mois suffit. Si l'enfant en demande davantage (ce qu'il fera probablement!), on dilue cette quantité avec de l'eau pour en faire plus! Un bon truc pour limiter la consommation de jus : on réserve celui-ci pour le petit-déjeuner ou la collation et on garde l'habitude d'offrir du lait au dîner et au souper.

À *noter* : mieux vaut choisir les produits qui affichent le nom « jus » plutôt que « boisson », « cocktail » ou « punch ». Ils sont faits à 100 % de vrais jus exprimés du fruit plutôt que, comme certains, d'eau sucrée et colorée à saveur de fruit.

L'eau. On boit du lait ou du jus lorsqu'on a faim, mais on boit de l'eau lorsqu'on a soif. C'est la boisson hydratante par excellence. Trop d'enfants avalent des boissons gazeuses, des boissons à saveur de fruit et même des jus ou du lait alors qu'ils ont juste soif et pas nécessairement faim. La prochaine fois que notre petit accourra assoiffé, pensons à lui donner de l'eau. Prenons aussi l'habitude de lui en offrir entre les heures de repas et de collations.

COMMENT GÉRER LES « CALORIES VIDES » ?

On s'en doute, les petits gâteaux, croustilles, boissons gazeuses, bonbons, biscuits sucrés et gelées à saveur de fruit ne brillent pas par leurs qualités nutritives. Ils apportent généralement peu d'éléments nutritifs, d'où leur surnom peu enviable de « calories vides ». Consommés en grande quantité, ces aliments coupent l'appétit et volent la place d'aliments plus sains, en plus de constituer une invitation en règle chez le dentiste.

Faut-il donc les bannir ?

Non. Il est vrai que ce qu'on ne connaît pas ne nous manque pas. Et qu'on peut éviter les friandises pendant un certain temps. Tôt ou tard cependant, elles apparaîtront dans la vie de notre enfant et alors, il goûtera, il aimera et il en redemandera! Rappelons-nous : l'interdit est souvent si tentant! D'ailleurs, c'est prouvé, plus un parent restreint chez l'enfant l'accès à certains aliments désirables, plus il en favorise chez lui la consommation[3]. La raison est simple, lorsqu'on se sent privé d'un aliment, on devient souvent obsédé par cet aliment. Et dès qu'on en a la chance, on craque et on se gave du fruit défendu! Rassurons-nous, la plupart des enfants sont tellement actifs qu'ils peuvent satisfaire tous leurs besoins nutritionnels et avoir encore besoin de calories. Un « extra sucre ou gras » lors d'une sortie ou d'une fête ne leur fera donc pas de tort.

À *noter* : les colas et le chocolat contiennent de la caféine, un stimulant du système nerveux. Bien sûr, ils en renferment moins que le café. Toutefois, à cause de son poids plus petit que le nôtre, un enfant peut réagir autant au contenu en caféine d'une boisson gazeuse de 355 ml qu'un adulte à un café de 175 ml! Le fait de lui offrir un cola ou du chocolat juste avant le coucher risque fort de nuire à son sommeil.

Que faire alors ?

Voici quelques pistes…

- *En faire un plaisir occasionnel.* On les offre de temps en temps seulement et à ce moment (comme on le fait pour tout autre aliment), on laisse l'enfant se satisfaire. Une exception toutefois : le dessert, qu'on limite en général à une portion sage, de façon à ce que l'enfant ne soit pas tenté de sauter à cette étape du repas et de se nourrir exclusivement de dessert…
- *Éviter d'en donner juste avant le repas.* Ainsi, elles ne gâteront pas le repas. Le meilleur moment pour les offrir ? À l'heure de la collation, après le repas ou à tout le moins au moment du dessert. Quant aux colas ou au chocolat, mieux vaut les éviter en soirée.
- *Éviter le chantage.* « Finis tes légumes ou tu n'auras pas de dessert », ça vous dit quelque chose ? Ce bon vieux conseil

prodigué par des générations de parents bien intentionnés a réussi sur deux points : il nous a fait détester les légumes et voir les desserts comme des récompenses!

- *Rendre le dessert nutritif le plus souvent.* Un dessert peut être un dessert et fournir autre chose que des calories! Un carré aux dattes, un pouding au pain ou au lait ou une croustade aux pommes satisferont les petites dents sucrées tout en apportant leur contribution à la qualité du repas. Suggestions de recettes : muffins aux framboises à l'os (p. 111), cachettes aux dattes et à l'orange (p. 120), carrés aux abricots (p. 118) et barres tendres aux bananes et aux dattes (p. 119).

LE SUCRE ET LE SEL : EN AJOUTER OU NON ?

Pourquoi adapter le goût des aliments de l'enfant à celui de l'adulte alors que l'enfant, lui, ne ressent ni n'a le besoin d'un surplus de sucre ou de sel? Le sucre n'apporte rien de bon sur le plan nutritif. Le sucre ajouté aux céréales du matin, au gruau ou sur les fraises ou les pamplemousses favorise la carie dentaire et il déguise le goût des aliments, privant l'enfant d'apprendre à aimer leur saveur naturelle. Quant au sel, sa consommation excède de beaucoup ce que le métabolisme requiert et il contribue à élever la pression sanguine chez les personnes sensibles.

Cela dit, un peu de sel ajouté à la cuisson ou à la table n'est pas dommageable parce que la plus grande part du sel que nous ingérons provient des aliments de transformation industrielle et des mets de restauration rapide. On devrait d'abord se méfier de ces aliments.

DOIT-ON DONNER DES SUPPLÉMENTS ?

Si l'enfant a une alimentation variée, il n'a probablement pas besoin d'un supplément de vitamines ou de minéraux. Il va puiser dans les aliments la quantité de nutriments dont il a besoin et plus

encore, car les aliments fournissent en prime les fibres et une foule d'autres substances protectrices pour la santé qu'on ne retrouve pas dans les suppléments. En matière de vitamines et de minéraux, il faut aussi savoir que «plus» ne veut pas nécessairement dire «mieux» : une trop grande quantité comporte des risques pour la santé de l'enfant.

Et si on décide de donner à son enfant des vitamines? Mieux vaut alors choisir une préparation de multivitamines et minéraux pour enfants qui provient d'un fabricant reconnu et vérifier sur l'étiquette qu'elle ne contient pas plus que l'apport quotidien recommandé pour la plupart des nutriments. Bien sûr, on s'en tient à la dose indiquée. Attention aux suppléments qui sont déguisés en bonbons! Ils peuvent s'avérer drôlement tentants et dangereux pour l'enfant qui les a à portée de ses petites mains agiles.

ET LE VÉGÉTARISME CHEZ L'ENFANT ?

Être végétarien ne consiste pas qu'à éliminer la viande, les œufs, le lait ou d'autres produits animaux de son alimentation. Il faut aussi compenser pour les nutriments que ces aliments apportaient : protéines, calcium, fer, vitamine B_{12} et autres. En cette matière, le défi est bien réel parce que les régimes végétariens sont habituellement moins denses en énergie. Ils comblent l'appétit pour moins d'aliments et de calories car les légumineuses, les légumes, les fruits et les produits céréaliers sont généralement riches en fibres mais faibles en gras. Comme l'enfant a de grands besoins en énergie et en nutriments mais un petit estomac, les régimes végétariens lui permettent donc plus difficilement de manger assez d'aliments pour les satisfaire. Voici toutefois quelques principes à retenir si l'on considère le végétarisme pour son enfant.

Inclure de préférence les produits laitiers et les œufs. Les produits laitiers sont de loin la meilleure source alimentaire de calcium. Ce sont également avec les œufs des sources concentrées de protéines de haute qualité. Comme le lait est plus riche en riboflavine et en vitamine D que d'autres produits laitiers, l'enfant devrait en prendre au moins 250 ml par jour. Il peut aussi boire une boisson de soja si elle est enrichie en calcium, en vitamine D et en riboflavine.

Prévoir de bonnes sources de protéines aux repas. Une quantité suffisante d'œufs, de légumineuses, de tofu, de charcuteries végétariennes, de beurre d'arachide, de fromage, de noix ou de graines à chaque repas remplacera la viande, la volaille et le poisson sur le plan des protéines. On ne recommande plus aux végétariens stricts de combiner à chaque repas deux aliments aux protéines incomplètes, comme un produit céréalier et une légumineuse. Cette théorie de la complémentarité des protéines végétales mise de l'avant il y a une trentaine d'années s'est avérée depuis non fondée. On conseille plutôt aux végétariens stricts de varier tous les jours leurs protéines végétales (légumineuses, noix, soja et produits céréaliers).

Consommer de bonnes sources de fer. La viande, la volaille et le poisson sont des sources de fer très facilement absorbable par l'organisme (voir « L'avantage viande » en p. 27). Un enfant qui ne consomme pas de ces aliments comble plus difficilement ses besoins en fer. D'où l'importance de lui offrir régulièrement d'autres bonnes sources de ce minéral, comme des légumineuses

(lentilles, pois cassés, pois chiches, fèves), du tofu, des pâtes, des céréales et des pains entiers ou enrichis, du germe de blé, des pommes de terre avec la pelure, des légumes vert foncé (brocoli, pois verts), du jus de pruneau et de la mélasse noire.

Prévoir une bonne source de vitamine C aux repas. Celle-ci convertit le fer des aliments végétaux en une forme plus facilement assimilable. Quelques bonnes sources : le poivron vert, les choux de Bruxelles, le brocoli, le chou-fleur, le cantaloup, le kiwi, les agrumes, les jus de légumes, d'orange ou, s'ils sont enrichis, de pomme ou d'autres fruits.

Intégrer du gras dans les repas et collations. On peut, par exemple, faire sauter le tofu, les pâtes ou les légumes dans un peu d'huile, utiliser une vinaigrette sur la salade ou du beurre ou de la margarine sur les légumes ou sur le pain, prévoir une sauce ou utiliser du lait entier ou 2 %.

Éviter d'offrir uniquement des produits céréaliers entiers. En lui donnant la moitié seulement des pains et céréales sous la forme de produits entiers et le reste sous la forme de produits raffinés enrichis, on évitera à l'enfant de manger trop de fibres et ainsi, de se sentir plein avant d'avoir consommé assez d'aliments pour satisfaire ses besoins. Le fait de prendre trop de fibres peut aussi interférer avec l'absorption du fer, du cuivre et du zinc.

Vous manquez de temps pour faire une recette au complet ? Dans un premier temps, coupez et mesurez les ingrédients, couvrez-les et réfrigérez-les. Dans un second temps, préparez la recette et faites cuire.

> **Maman avait raison, un repas complet doit contenir...**
>
> **Des protéines* (une viande ou un substitut)**
> **Un féculent (des pommes de terre, du riz, des pâtes ou autres)**
> **Un ou deux fruits ou légumes**
> **Du pain**
> **Du lait***
> **Et du gras (vinaigrette dans la salade, huile ou graisse ajoutée à la cuisson, beurre ou margarine sur le pain ou les légumes, ou autres)**
>
> * Au petit-déjeuner, on peut faire d'une pierre deux coups en prenant du fromage à la place du lait et des protéines.

ET ÇA APPORTE QUOI ?

Lorsqu'on rassemble au repas les catégories d'aliments énumérés plus haut, l'enfant obtient :

- **un maximum de nutriments pour bien grandir.** Un repas ainsi constitué donne à l'enfant les meilleures chances d'obtenir tous les nutriments (vitamines, minéraux, fibres, glucides, protéines, gras) dont il a besoin pour sa croissance et son développement;
- **tous les combustibles pour performer jusqu'au prochain repas.** Les glucides, les protéines et le gras contribuent tous trois à la satiété du repas et au maintien d'un bon niveau d'énergie, mais de façon différente et complémentaire. En les combinant à chaque repas, notre petit aura faim moins vite et il ne manquera pas d'énergie entre les repas, comme nous le verrons tout au long des prochaines sections.

Les sucres (ou glucides simples)

Les sources : les fruits frais ou séchés, les légumes et les jus, le lait, les biscuits, les gâteaux, les bonbons, les boissons gazeuses et les boissons sucrées à saveur de fruit.

Les sucres requièrent très peu d'action digestive. Ils sont donc absorbés rapidement par l'intestin pour passer dans la circulation sanguine où ils se retrouvent sous la forme de glucose, le sucre-carburant préféré des cellules. Conséquence : quelques minutes seulement après les avoir consommés, comme le montre la figure de la page 34, les sucres élèvent le taux de glucose sanguin pour apaiser la faim et nous revitaliser. En revanche, leur action est de courte durée, car ils sont utilisés rapidement. Un exemple : l'enfant qui prend un repas ou une collation composés uniquement d'une orange ou même d'une boisson gazeuse ou de bonbons se sent satisfait très rapidement. Mais peu de temps après, son niveau d'énergie retombe et il a encore faim.

L'amidon (ou glucides complexes)

Les sources : les produits céréaliers (pain, muffin, craquelins, céréales à déjeuner, riz, pâtes ou autres), les légumineuses (lentilles, haricots et pois secs), certains légumes féculents (pommes de terre, petits pois, maïs et autres) mais aussi les gâteaux et les biscuits.

L'amidon est fabriqué de petites molécules de glucose liées ensemble et qui doivent être libérées lors de la digestion pour être absorbées. Son glucose requiert donc un peu plus de temps que celui des sucres pour passer dans le sang et il y passe plus lentement et sur une plus longue période. C'est ce qui explique pourquoi l'amidon prend plus de temps pour apaiser la faim et libérer son énergie, mais aussi pourquoi ses effets durent plus longtemps. Lorsque, par exemple, on mange une orange et une tranche de pain grillée au petit-déjeuner, l'effet de satiété du pain (l'amidon) s'ajoute à celui de l'orange (les sucres) pour prolonger l'effet du repas.

Les aliments riches en amidon contribuent également à la sensation de satiété du fait qu'ils doivent être mastiqués et qu'ils apportent du volume dans l'estomac. Ces bons agents de remplissage comptent généralement parmi les favoris des enfants. C'est souvent sur eux d'ailleurs que nos petits se rabattent lorsque le menu du jour ne leur convient pas.

Les protéines

Les sources : le lait, le fromage, le yogourt, la viande, la volaille, le poisson, les œufs, les légumineuses, le tofu, le beurre d'arachide, les noix et les graines et, en quantités moindres, les produits céréaliers, les biscuits et les gâteaux.

Si on incorpore à notre petit-déjeuner composé d'une orange et d'une tranche de pain grillée un verre de lait écrémé* (qui ne contient pas de gras), on lui ajoute des protéines qui aident à faire durer l'effet du repas. Les protéines prennent un certain temps pour être digérées en acides aminés qui pourront être absorbés dans le sang. Tout comme le glucose le fait, les acides aminés contribuent à l'effet de satiété et au pouvoir énergisant du repas, mais leur effet se manifeste plus tard et sur une période encore plus longue.

* Comme nous l'avons vu précédemment, le lait écrémé n'est pas recommandé pour les enfants d'âge préscolaire.

Le gras

Les sources : le lait, le yogourt et le fromage non écrémés, la crème, la crème glacée, la plupart des viandes, des volailles et des poissons, les œufs, le beurre d'arachide, les noix, les graines, l'huile, les graisses, les vinaigrettes, les biscuits, les gâteaux et le chocolat.

Il est digéré et absorbé lentement. En conséquence, les acides gras qui sont issus de sa digestion parviennent dans la circulation sanguine après le glucose des glucides et les acides aminés des protéines, et sur une période de temps encore plus longue. De plus, le gras retarde la vidange de l'estomac. Il garde tout le repas plus longtemps dans l'estomac, qui libère son contenu dans l'intestin plus lentement. L'ajout de gras au repas (le fait, par exemple, d'ajouter un peu de beurre ou de beurre d'arachide à notre petit-déjeuner composé d'une orange, d'une tranche de pain grillée et d'un verre de lait écrémé ou encore, de substituer du lait entier au lait écrémé) prolongera l'effet de tout le repas, en plus de fournir à l'enfant quelques calories supplémentaires.

Si on omet les glucides (sucres et amidon) du repas ?

Le repas sera plus lent à faire effet. Cela pourra inciter l'enfant à manger davantage pour se sentir satisfait, d'autant plus que l'absence des glucides aura laissé dans l'estomac un espace à combler !

Si on omet les protéines ou le gras du repas ?

La valeur de satiété du repas et le niveau d'énergie qu'il procurera à l'enfant s'en trouveront significativement réduits, de sorte que ce dernier aura faim et se sentira fatigué beaucoup plus vite.

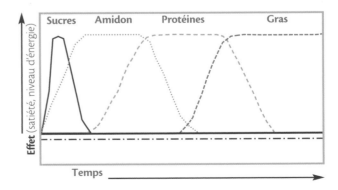

Effet des sucres, de l'amidon, des protéines et du gras sur la satiété et le niveau d'énergie

CONTENU EN SUCRES, AMIDON, PROTÉINES ET GRAS DE DIFFÉRENTS ALIMENTS

Aliments	Sucres	Amidon	Protéines	Gras
Produits céréaliers				
Pain, céréales, riz et pâtes		++	+	
Légumes				
Maïs, petits pois,				
pommes de terre		++	+	
Autres légumes	+			
Fruits et jus	++			
Produits laitiers				
Lait	+		+	+ (sauf si écrémé)
Fromage			++	++ (sauf si écrémé)
Yogourt aux fruits	++		+	+ (sauf si écrémé)
Viandes et substituts				
Viande, volaille, poisson, œuf			++	++ (sauf si maigres)
Noix, graines, beurre d'arachide		+	+	++
Légumineuses		++	++	
Autres aliments				
Gâteaux, biscuits, chocolat	++	++	+	++
Bonbons, sodas	++			
Crème glacée	++		+	++
Huiles et graisses				++

++ = quantité importante
+ = quantité modeste

ET SI L'ENFANT N'AIME PAS LE MENU DU REPAS ?

C'est aux parents d'être responsables du menu. Pas à l'enfant. Rien n'empêche de satisfaire ses demandes de temps en temps, tout comme on le fait pour le reste de la famille. Ce qui veut dire que des fois, il sera content du menu et que d'autres fois, ce sera au tour d'un autre. Si l'enfant ne veut pas manger, c'est son choix. Surtout, on n'offre aucune solution de rechange !

EXEMPLES DE MENUS

Ces suggestions de menus illustrent les recommandations décrites précédemment.

PETITS-DÉJEUNERS
(à accompagner d'un verre de jus)
- Gaufre* garnie de yogourt et de morceaux de banane
- Pain pomme-fromage* (p. 114) avec compote
- Gruau (fait avec lait) et fruits séchés hachés
- Muffin aux framboises à l'os* (p. 111) et morceau de fromage
- Flocons de céréales avec lait et morceaux de pêches en boîte
- Œuf* cuit au micro-ondes avec morceaux de tomate et de bagel grillé beurré
- Rôtie beurrée au fromage avec morceaux d'orange
- Rouleau de tortilla au beurre d'arachide et à la compote de pomme
- Pointes de pain pita garni de fromage blanc (de type *quark*) et de tranches fines de poire
- Crêpe* garnie de morceaux de fruits avec verre de lait
- Pain doré aux bananes* (p. 68) garni de framboises et de crème fouettée

DÎNERS
(à accompagner d'un verre de lait, de pain et de beurre)
- Macaroni au fromage et aux petits légumes, sorbet aux fraises sur bâton (p. 109)
- Coquettes coquillettes (p. 90), croustade aux pommes et aux poires
- Fèves au lard avec morceaux de tomate, « pops » aux pêches (p. 108)
- Minipâtés chinois (p. 70), salade de fruits avec biscuits secs
- Omelette aux légumes* avec languettes de pain grillé beurré, pouding au riz
- Salade de carottes, croquettes végétariennes* (p. 86) avec sauce aux légumes (p. 59), pouding au pain*
- Jus de tomate, sandwich grillé au fromage (*grilled cheese*) et courgettes en lanières*, crème rosée (p. 110)
- Ragoût d'automne (p. 98), compote

SOUPERS
(à accompagner d'un verre de lait, de pain et de beurre)
- Spaghetti végétarien (p. 88), pouding au lait
- Velouté de carottes (p. 53), boulettes de viande avec riz, ananas broyés en boîte
- Jus de tomate, filet de poisson avec sauce au fromage et petits pois et carottes, ou fish'n chips (p. 80), crème glacée
- Sandwich chaud au poulet avec salade de chou (râpé fin) crémeuse, morceaux de cantaloup
- Œufs en rouleaux* (p. 69) avec morceaux de jambon ou de fromage et pointes de pain grillé beurré, carré aux abricots (p. 118)
- Super-pain de viande* (p. 99) et salade de laitues en lanières*, clafoutis de la reine Mandarine* (p. 123)
- Soupe aux légumes, saumon en casserole (p. 83), barre tendre aux bananes et aux dattes (p. 119)
- Riz frit au tofu* (p. 95), clémentines fraîches ou en boîte

* Convient aux enfants âgés de 12 mois et plus.

SONT-ELLES NÉCESSAIRES ?

Oui. Les enfants ont de grands besoins, mais de petits estomacs. Le fait de manger souvent, toutes les deux ou trois heures environ, les aide à absorber suffisamment d'aliments dans une journée pour aller chercher tout ce dont ils ont besoin. Une bonne collation au bon moment vient compléter (et non remplacer) le repas précédent, rassasier l'enfant qui a faim et le soutenir jusqu'au prochain repas.

QUE DEVRAIENT-ELLES CONTENIR ?

Une bonne collation, c'est plus que des bâtonnets de céleri ou un morceau de pomme. On doit considérer la collation comme un petit repas et accorder autant de soin à sa composition qu'à celle du repas. En pratique, elle devrait donc de préférence se composer d'aliments provenant des quatre groupes alimentaires et comporter des glucides, des protéines et du gras. Lorsqu'une collation se compose uniquement de protéines et de gras (un morceau de fromage ou des noix, par exemple), elle n'apaise pas la faim aussi vite et peut inciter l'enfant à manger davantage. En revanche, quand une collation ne se compose que de glucides (une pomme ou un verre de jus, par exemple), elle satisfait l'enfant pour un certain temps seulement, de sorte qu'il aura faim à nouveau bien avant le repas suivant.

ET CÔTÉ QUANTITÉ ?

C'est (encore une fois) à l'enfant de décider. On a choisi une collation de qualité ? On le laisse maintenant décider de la quantité qu'il mangera.

Simple comme 1 + 1 = 2 !

Pour des collations nutritives, soutenantes et énergisantes, on peut réunir des aliments de chacune des deux colonnes ci-dessous. On combinera ainsi des glucides avec des protéines et du gras (nos trois combustibles complémentaires), et une foule de vitamines et de minéraux essentiels. Quelques exemples : des céréales avec du lait, des craquelins ou du pain avec du fromage ou un œuf dur, un lait frappé aux fruits, du maïs soufflé garni de fromage râpé, des crudités avec du fromage et un jus de fruits.

À noter : les crudités contiennent peu de glucides, de protéines et de gras, de sorte qu'elles doivent être combinées à des aliments provenant des deux colonnes.

Glucides	+	Protéines et gras
Craquelins ou pain		Verre de lait*
Muffin		Fromage
Céréales sèches		Yogourt*
Maïs soufflé**		Pouding au lait
Biscuits maison (gruau, beurre d'arachide, mélasse)		Beurre d'arachide
Fruits frais ou séchés		Noix ou graines**
Jus		Œuf dur

*   Si on choisit du lait ou du yogourt à 1 % ou moins de matières grasses (MG), on offre une source de gras en plus.

** À éviter avant l'âge de 4 ans pour prévenir les risques d'étouffement (on peut consulter le chapitre 7 pour plus de renseignements à ce sujet).

On va se promener ?

Pour prévenir l'étouffement, il est déconseillé de laisser un enfant marcher, courir ou se promener à vélo ou en auto avec un aliment ou un objet dans la bouche. Rien n'empêche toutefois de prévoir quelques en-cas à apporter en prévision d'une pause-collation bien méritée. Les aliments suivants* se glissent facilement dans le fourre-tout ou le sac à dos, ils se conservent quelques heures au moins sans réfrigération, et beaucoup se mangent avec les doigts.

Arachides, noix et graines non salées
Fruits frais entiers ou coupés en morceaux
Crudités coupées en morceaux
Fruits et compotes en coupe ou en pot
Jus, lait ou boissons (soja, riz) en boîte Tetra Pak
Yogourts et yogourts à boire individuels en pot ou en tube
Ficelles ou tranches de fromage
Poudings (au riz, au lait ou tapioca) en coupe
Céréales sèches en bouchées (de type Cheerios, Son de maïs, Shreddies ou autres)
Craquelins ou biscottes
Barres de céréales, muffins et biscuits (figues, dattes, gruau)
Eau en bouteille

* Certains peuvent être contre-indiqués selon l'âge de l'enfant à cause des risques d'étouffement (consulter le chapitre 7).

À QUELLE HEURE LES OFFRIR ?

En planifiant des collations à heures régulières, on s'assure que l'enfant aura faim lorsqu'il arrivera à table pour le repas suivant. Et qu'il ne sera pas tenté de quémander continuellement une sucrerie, un biscuit ou un verre de jus. On fixe le moment de la collation suffisamment longtemps après le repas précédent pour que l'enfant ait faim (mais pas trop faim) et suffisamment longtemps avant le prochain repas pour qu'il ait le temps d'avoir faim à

nouveau. Cela veut dire : à mi-chemin entre les repas ou deux ou trois heures avant le repas suivant.

Si on dîne tôt et qu'on soupe tard ? Il peut être nécessaire alors d'offrir deux collations : la première, deux ou trois heures après le repas, sera substantielle et comprendra des glucides, des protéines et du gras ; et la seconde, plus tard en après-midi, sera simplement constituée de glucides (fruit, petit jus ou crudités).

Si l'enfant réclame sa collation peu de temps après son repas ? Le plus souvent, cela se produit lorsqu'il a peu ou pas mangé au repas. Dans ce cas, on résiste à ses yeux implorants et on lui dit calmement mais fermement : « Désolé, mon chéri. La collation est dans deux heures et tu pourras alors manger autant que tu voudras. » Parions qu'il y pensera à deux reprises la prochaine fois qu'il aura le goût de grignoter au repas.

Si l'enfant ne demande pas sa collation ou qu'il n'a pas faim ? On la lui offre quand même. Accaparé par ses activités, il a peut-être « oublié » qu'il avait faim. Et s'il n'a vraiment pas faim, on accepte son refus tout en lui rappelant que le souper ne sera servi que dans deux ou trois heures.

Si l'enfant, malgré sa collation, ne peut attendre jusqu'au prochain repas ? On lui rappelle que le repas sera servi dans quelques minutes. S'il ne peut « survivre » jusque-là, on lui offre un morceau de fruit, des crudités ou un petit verre de jus. Leurs sucres, vite digérés et absorbés, calmeront rapidement sa fringale et comme ils seront tout aussi rapidement utilisés par son corps, ils ne l'empêcheront pas d'avoir faim au repas. Il serait toutefois bon de s'assurer que ses collations contiennent des protéines et du gras (voir le tableau Simple comme 1 + 1 = 2!, p. 37), qui augmentent l'effet de satiété du repas, et qu'elles soient assez substantielles.

Chapitre 6
ON PASSE À TABLE !

Vers la fin de la première année de l'enfant, on mange enfin en famille ! Fini le temps où l'on planifiait les repas de bébé et ceux du reste de la maisonnée. Notre petit apprend maintenant à manger ce que toute la famille mange, à l'heure et à la manière des grands. Quelques conseils pour que tout se déroule bien.

Fermer la télévision. Le repas est l'occasion de se brancher aux autres, pas à la télé. Celle-ci distrait l'enfant et les autres membres de la famille de leur assiette, les empêche d'être à l'écoute de leur faim et de leur satiété et nuit à la socialisation du repas.

Exiger la présence à table. Les repas en famille sont à la fois l'occasion de refaire le plein d'énergie physique et mentale, et de raffermir ses liens avec les siens. Et comme ils sont presque en voie de disparition de nos jours, ils n'en sont que plus précieux. Notre enfant n'a pas faim ou il est « trop occupé » pour manger ? On lui dit qu'il n'a pas à manger s'il ne veut pas, mais qu'il doit à tout le moins venir à table pour nous tenir compagnie pendant quelques minutes. Une fois coupé de ses distractions et assis à la table, il y a de bonnes chances qu'il se mette à manger ! Toutefois, s'il n'a vraiment pas faim et que son seuil de tolérance à table est atteint, il faudra tenir notre promesse et le laisser partir après quelques minutes.

Bien sûr, pour être capable de s'asseoir et de manger, le petit qui a joué toute la journée, qui a la tête pleine ou qui est survolté ou complètement à plat, peut avoir besoin d'un peu de préparation.

Pour l'aider à passer en « mode repas », on l'avise que son assiette sera servie dans cinq minutes et qu'il est temps de ranger ses jouets et de se laver les mains. S'il le faut, et si on a le temps, on peut aussi prendre quelques minutes pour s'asseoir et lire un livre avec lui ou pour lui donner un bain avant de passer à table.

Installer l'enfant confortablement. C'est un préalable (mais non une garantie !) pour qu'il reste en place. On utilise une chaise haute dont on retire le plateau pour permettre à l'enfant de manger à la table comme les autres ou un siège d'appoint (les modèles qui se fixent au dossier et au siège de la chaise à l'aide de sangles sont plus stables et plus sécuritaires). Cela assurera à l'enfant d'être assis suffisamment haut pour voir ce qu'il mange et avec qui il mange, pour atteindre facilement son assiette, son verre, sa serviette et ses ustensiles, et pour suivre la discussion.

Encourager les bonnes manières à table. Tout en étant réaliste sur nos exigences ! L'idée, c'est de rendre le repas agréable pour toute la famille et de préparer petit à petit l'enfant aux repas hors de la maison (chez les amis ou la parenté, à l'école ou à la garderie, par exemple). Et ce, surtout à partir de l'âge de trois ans, lorsqu'il lui est plus facile de comprendre et d'agir en conséquence. On encourage donc l'enfant à bien s'asseoir, à utiliser ses ustensiles et la serviette de table, à manger proprement et à dire « s'il vous plaît » et « merci », sans toutefois le lui répéter continuellement.

Si notre enfant ne maîtrise pas aussi rapidement qu'on le souhaiterait l'art et la manière de se comporter à table, que le verre de lait se renverse encore une fois ou que le plancher semble mieux nourri que son estomac, par exemple, on reste calme. Sa dextérité va se développer et à force de nous imiter, il apprendra les bonnes manières. D'ici là, on garde le rouleau d'essuie-tout à portée de la main.

D'autre part, si l'enfant commence à lancer des aliments ou à faire basculer sa chaise, s'il est impoli, s'il mange malproprement ou s'il a tout autre comportement désagréable, on lui demande d'arrêter, puis on l'ignore. S'il ne le fait pas, on lui demande de quitter la table. L'idée n'est pas de le punir mais de lui apprendre qu'à table, on se comporte de manière appropriée pour le bien de tous.

Une précision toutefois : bien des enfants de un ou deux ans (et parfois davantage !) sont portés à manger avec les doigts. C'est pour eux une façon de faire connaissance avec les aliments. Alors si le cas se présente, on laisse notre enfant toucher, observer, sentir, tourner, écraser et mélanger les aliments… à moins qu'il ne le fasse simplement pour jouer, faire du gâchis ou nous faire réagir !

Servir chacun selon ses goûts et son appétit. Un enfant mange mieux s'il sent qu'il a le contrôle sur ce qu'il mange. Si on le sert à la cuisine, on lui demande d'abord *s'il en veut* et ensuite, *quelle quantité* il en veut. On peut aussi le servir en le rassurant qu'il n'a pas à finir son assiette, tout comme il peut aussi en ravoir s'il a encore faim.

Autre façon de faire : on apporte les plats de service sur la table et on les fait circuler. Dès l'âge de deux ou trois ans, l'enfant est habituellement en mesure de se servir lui-même (et il adore ça). C'est souvent nous qui n'y sommes pas prêts. Lorsqu'on le laisse faire, il est fier qu'on le traite comme un grand et est souvent mieux disposé à manger. On prendra soin toutefois d'utiliser des plats de service et des ustensiles à la mesure de ses petites mains et, histoire de limiter le gaspillage, de l'encourager à prendre de petites quantités, quitte à en reprendre par la suite s'il a encore faim. Une exception toutefois : le dessert, qu'on limite en général à une portion sage. L'enfant ne sera pas tenté de s'en gaver au détriment des autres aliments du repas.

Le laisser manger. Encore une fois, notre travail est d'apporter la nourriture *à* notre enfant, pas *dedans*. On se concentre sur le plaisir d'être ensemble et sur notre propre assiette plutôt que sur celle de notre enfant et on le laisse choisir parmi la variété d'aliments qu'on lui propose au repas. On résiste à la tentation de s'approprier sa fourchette ou de lui demander de goûter (même une bouchée !), de manger un peu de chaque aliment ou de finir son assiette.

Mettre du pain et du beurre sur la table. Le pain est un aliment nutritif et, à cause de sa richesse en glucides complexes, un bon agent de remplissage. Comme les enfants l'aiment généralement, c'est vers cet aliment bourratif qu'ils se tournent souvent lorsqu'ils ne peuvent se satisfaire du reste du repas. Quant au beurre ou à la margarine, ils aident l'enfant, dont les besoins sont grands mais l'appétit limité, à aller chercher l'extra de calories et de gras nécessaire à son corps. Notre enfant semble trop souvent se satisfaire de repas de pain ? Tôt ou tard, à force de se faire offrir les mêmes aliments, il finira par goûter et fort probablement par aimer.

Servir du lait aux repas sauf le matin, où on peut offrir du jus. Un truc : servir le lait dans un petit verre de 100 à 125 ml. Il sera plus facile à l'enfant de le prendre dans ses mains et, éventuellement, il y aura moins de lait sur la table…

Le laisser filer, une fois que l'enfant a fini. On peut difficilement demander à un jeune enfant (en fait, on peut toujours le lui demander, mais ce n'est pas dit qu'il voudra) de rester à table lorsqu'il a fini de manger. S'il commence à avoir la bougeotte, à s'impatienter ou à déranger les convives, mieux vaut le laisser partir, même si le repas n'est pas terminé ou s'il n'a pas fini son assiette. On le rappellera simplement au moment opportun.

Chapitre 7
QUELQUES PROBLÈMES DE SANTÉ COURANTS

L'OBÉSITÉ

C'est vrai, nous sommes de plus en plus gros et les petits Québécois n'échappent pas à cette réalité. Mais la meilleure façon d'intervenir, c'est peut-être de ne pas trop intervenir!

Ce qu'il faut savoir

On entend à répétition que l'obésité prend des proportions épidémiques, qu'elle représente chez l'enfant un problème de taille et que ses causes sont de deux ordres : trop de nourriture de mauvaise qualité et pas assez d'exercice. Voilà de quoi inciter n'importe quel parent bien intentionné à jeter toutes les friandises à la poubelle, à retenir la deuxième assiettée et à déserter la restauration rapide! Mais ce serait faire fausse route. Pour aider à prévenir l'obésité chez l'enfant, voici d'abord ce qu'il faut savoir.

Un enfant obèse ne devient pas nécessairement un adulte obèse. Beaucoup d'enfants sont potelés vers la fin de la première année. C'est normal. Toutefois, le jeune enfant grassouillet de un à trois ans ne court pas plus de risques que le jeune enfant fluet de devenir gros lorsqu'il sera grand[1]. À cet âge, on ne peut pas prédire de quelle façon le corps (petit ou gros) tournera. En pratique, la plupart des jeunes enfants mincissent avec l'âge. Certains, simplement très courts pour leur poids, se mettent à pousser d'un coup en fin d'adolescence. Seul le tiers environ des enfants d'âge préscolaire semblent garder leur embonpoint[2].

Les enfants qui deviennent obèses ne mangent pas nécessairement plus. Une étude d'une durée de 16 ans menée à l'université de Californie à Berkeley a montré que les enfants qui sont devenus gros lorsqu'ils étaient adolescents ne mangeaient pas plus, à aucune période de leur croissance, que les enfants qui sont restés minces. Ils mangeaient même un peu moins! En fait, le risque d'obésité à l'adolescence augmentait plutôt avec la préoccupation des parents au sujet de l'obésité et avec l'incidence de problèmes alimentaires en bas âge. L'explication : lorsque la nourriture devient une source de conflits entre parents et enfants, les enfants, qui savent naturellement de quelle quantité ils ont besoin, perdent de vue leurs régulateurs internes (les signaux de faim et de satiété) et font des erreurs dans la quantité qu'ils mangent[3].

On ne choisit pas le poids de son enfant. Beaucoup d'entre nous croient que le fait d'avoir et de maintenir une forme et un poids corporels particuliers est une simple question de volonté. Qu'on peut choisir le corps qu'on veut et l'obtenir dans la mesure où l'on y met les efforts nécessaires. Ces personnes oublient que les dimensions du corps sont en grande partie déterminées génétiquement.

En grandissant, le corps de notre petit ressemblera fort probablement au nôtre. Qu'on le veuille ou non. Notre travail n'est donc pas de l'aider à grandir selon nos désirs, mais selon ses gènes. Pour ça, il faut pouvoir accepter son enfant comme il est et comme son corps a été programmé. En bénéficiant ainsi d'un regard positif sur son corps de la part de ses parents, l'enfant plus gros apprendra à s'aimer et à s'armer contre les moqueries et les préjugés dont il sera inévitablement victime.

Plus on en fait, plus on nuit. De plus en plus de professionnels de la santé admettent aujourd'hui que les régimes amaigrissants, ça ne marche pas. Ils ne mettent plus systématiquement un enfant dodu à la diète. Le problème avec les enfants grassouillets ou gourmands, c'est que les parents tendent souvent, consciemment ou non, à les restreindre. Même s'ils n'ont pas l'impression de mettre leur enfant au régime, ils sont souvent portés à exercer sur lui une certaine pression à manger moins. Malheureusement, les efforts pour contrôler l'alimentation et le poids d'un enfant de cette façon ne peuvent qu'aggraver le problème, pas l'améliorer.

En effet, plus un parent restreint chez l'enfant l'accès à certains aliments «désirables», plus il en favorise chez lui la consommation[4]. Et plus un parent est préoccupé par le poids de son enfant et contrôle son alimentation, plus il risque d'élever un enfant lui-même aux prises avec un surplus de poids et des problèmes d'alimentation[5]. C'est simple : un enfant, comme un adulte, privé de nourriture devient souvent préoccupé, voire obsédé, par elle, sujet à surconsommer dès qu'il en a la chance, et plus gros que plus mince ! Il se sentira mal dans sa peau et il nous en voudra. Rien d'étonnant puisqu'on lui envoie le message qu'on le préférerait autrement ! Bref, à trop vouloir bien faire, on risque de produire le contraire de ce qu'on désire : un enfant malheureux qui deviendra peut-être un adulte malheureux et obèse.

Notre enfant nous imite. Combien d'adultes passent leur vie à se priver pour avoir le corps dont ils rêvent ? Non seulement est-ce destructeur pour eux, mais ce l'est aussi pour leur progéniture. Les enfants sont de petites éponges qui, en baignant quotidiennement dans l'environnement de leurs parents, en absorbent les perceptions, les attitudes et les comportements. Inconsciemment, ils copient ainsi leurs parents, pour le meilleur et pour le pire. Lorsque les parents sont eux-mêmes exagérément préoccupés par leur poids et leur alimentation, les enfants risquent davantage de le devenir et même, de devenir gros[5]. «Plus subtilement, la mère qui n'aime pas son corps, qu'elle en parle ou pas, n'apprend pas à sa fille à aimer le sien. Le père qui dit "affectueusement" à sa fille qu'elle a une grosse bedaine ne lui transmet rien de bon non plus», affirme la diététiste Diane Côté, présidente du Collectif action alternative en obésité.

Ce qu'il faut retenir

Le fait d'intervenir énergiquement produit fréquemment le contraire de ce qu'on veut éviter et nuit inévitablement à la relation parent-enfant et à la façon dont l'enfant se perçoit. Faisons confiance à l'enfant et en ses capacités de manger, de grandir et de se développer de la façon dont il a été programmé. Prenons plaisir à le voir grandir, concentrons nos énergies sur notre relation avec lui et sur le bien-être physique et émotif de toute la famille et attendons. Si on n'y est pas capable ? Allons chercher de l'aide auprès d'un diététiste spécialisé dans le traitement de l'obésité.

Entre autres ressources, le Collectif action alternative en obésité (CAAO) est un organisme sans but lucratif dont la mission est de promouvoir la santé globale des personnes obèses ou préoccupées de façon excessive par leur poids. On peut contacter un intervenant du CAAO dans plusieurs régions du Québec en téléphonant au (514) 270-3779 ou en consultant le site www.caao.qc.ca.

Notre enfant est-il trop gros ?

L'important, pour tout enfant, c'est qu'il grandisse bien. S'il suit bien *sa* courbe de croissance, même si celle-ci se situe dans les percentiles élevés, sa croissance est appropriée et conforme à son programme génétique. Si par contre il déviait brusquement de sa courbe (vers le haut ou vers le bas), quelque chose pourrait ne pas aller. Cet écart devrait être analysé et interprété par le médecin ou le diététiste.

Intervenir sans nuire

Que notre enfant soit petit ou gros, la meilleure façon d'intervenir consiste à l'aider à contrôler lui-même son équilibre énergétique, c'est-à-dire à manger conformément à ses besoins et à dépenser suffisamment.

Maintenir le partage des tâches, comme on l'a expliqué au chapitre 2. Cela veut dire que le parent s'occupe de la *qualité* et l'enfant, de la *quantité*. D'une façon générale, comme nous l'avons vu au chapitre 1, l'enfant sait naturellement de quelle quantité d'aliments il a besoin lorsqu'on le laisse faire. Quand il a faim, il mange et quand il est rassasié et satisfait, même quand l'aliment est délicieux, il arrête de manger. C'est ainsi qu'il ajuste ses apports alimentaires aux demandes changeantes de son corps. Notre travail consiste à favoriser ce processus de régulation interne. Le fait d'essayer de changer les quantités que notre enfant mange normalement ou de restreindre chez lui l'accès à certains aliments attirants ne donnera rien de bon.

Limiter les activités sédentaires. Plusieurs études ont montré un lien entre le nombre d'heures passées devant la télévision et le surplus de poids chez l'enfant et l'adolescent. Rien d'étonnant : rivé devant le petit écran, il dépense moins de calories et il est incité à manger par la publicité et l'accès facile aux aliments. Bref, il bouge peu et il bouffe plus. Récemment, un chercheur de la Californie a soumis une centaine d'enfants d'une école primaire à un programme visant à réduire la télévision, les jeux et les films vidéo. À la fin de l'année scolaire, ces enfants avaient significativement minci par rapport à un groupe similaire d'élèves d'une autre école[6].

Fournir des occasions de bouger. Le fait d'être actif, de bouger son corps et de se sentir capable physiquement est une partie importante de la santé et de l'estime de soi. En plus, on brûle plus de calories et on pense moins à manger lorsqu'on n'a pas faim.

On peut aider l'enfant à choisir des activités qu'il va apprécier. Une activité agréable lui apprendra à aimer bouger et aura la chance de durer plus longtemps. Encourageons-le à faire de l'exercice pour le simple plaisir, pas pour maigrir ou pour la santé : ce serait tellement moins amusant ! Ne le forçons pas à être actif, pas plus que nous ne le faisons pour son alimentation. Ici encore, le principe du partage des tâches s'applique : on propose et il dispose. Nous fournissons à l'enfant des occasions de bouger et il est libre d'y prendre part ou non, ou même d'abandonner s'il n'aime pas. On pourra alors l'inciter à essayer autre chose. Encore une fois, on donne ici l'exemple !

On garde confiance... On a fait notre travail ? Alors on fait confiance en l'avenir. Notre enfant pourra être plus gros ou plus mince, plus petit ou plus grand que nous l'aurions voulu. Mais dans tous les cas, nous saurons que son poids et sa taille sont les siens.

LES ALLERGIES ALIMENTAIRES

Les allergies alimentaires n'ont rien d'un caprice d'enfant ou d'une angoisse de parent ! Elles sont bien réelles, de plus en plus fréquentes et parfois mortelles. Ici, la prévention prend tout son sens.

Qu'est-ce qui distingue une allergie d'une intolérance alimentaire ?

Une personne qui réagit à un aliment n'est pas nécessairement allergique à cet aliment. L'allergie a certaines particularités qui la distinguent d'autres formes d'intolérance alimentaire.

L'allergie. C'est une réaction du système immunitaire déclenchée par l'ingestion d'une substance particulière, qu'on appelle l'allergène. Normalement, notre système immunitaire nous protège contre les agresseurs extérieurs comme les bactéries et les virus. Chez la personne allergique, tout se passe comme si l'organisme se mettait à combattre énergiquement un ennemi qui n'en est pas un : une protéine provenant de l'œuf, du lait, des arachides ou d'autres aliments. Dans certains cas, il suffit d'une infime quantité.

L'intolérance. On parle d'intolérance lorsque la réaction à l'aliment n'implique pas le système immunitaire et qu'elle est liée à autre chose qu'une protéine : un sucre (comme le lactose du lait), un additif (tel le glutamate monosodique), une bactérie, un insecticide ou autres. Plus la quantité consommée est grande, plus la réaction est généralement forte. La majorité des réactions aux aliments sont des intolérances et non des allergies. Par exemple, une intolérance au lactose temporaire peut se développer après un accès de diarrhée.

Comment savoir si un enfant est allergique?

L'écoulement nasal, l'eczéma, l'enflure et l'asthme comptent parmi les signes d'allergie les plus fréquents. Un allergologue pourra confirmer le diagnostic par un test cutané ou sanguin effectué en milieu hospitalier. Surtout, évitons de jouer seul au détective au risque d'éliminer sans raison des aliments du régime ou d'ignorer certaines sources de l'aliment auquel l'enfant est sensible. Quant à la méthode du «Goûtons pour voir», elle est hautement risquée et carrément à proscrire! Mieux vaut consulter un médecin ou un diététiste.

Est-ce fréquent?

Selon les données fournies par l'Association québécoise des allergies alimentaires (AQAA), de 1 à 2 % de la population souffre d'allergie alimentaire. Chez les jeunes enfants, ce pourcentage s'élève à 6 à 8 % environ. L'allergie à l'arachide affecte un peu moins de 1 % des enfants et cause plus de 63 % des décès associés aux allergies alimentaires. Dans 50 % des cas, elle apparaît avant l'âge de 2 ans. En 1998, on estimait que, dans les écoles du Québec, un enfant sur 150 était affecté par une allergie à l'arachide ou à une noix. Des études américaines ont démontré que les arachides et les noix étaient responsables de la très grande majorité des décès reliés aux allergies alimentaires.

Quels sont les risques que court notre enfant?

Habituellement, on ne devient pas allergique sans y être prédisposé génétiquement. Et peu d'entre nous sont à risque zéro quand on sait que l'eczéma, l'asthme et la fièvre des foins sont des manifestations d'atopie, une prédisposition génétique à développer des réactions allergiques. Voici qui nous donnera une idée du risque, pour notre enfant, de développer une allergie alimentaire[7].

Lorsque aucun parent, frère ou sœur ne présente d'allergie (alimentaire ou autre), le risque d'atopie chez un enfant est de 5 à 15 %.

Lorsqu'un parent (mère ou père), un frère ou une sœur est allergique, le risque d'atopie s'élève à 20 à 40 %.

Lorsque les deux parents ou un parent (mère ou père) et un enfant (frère ou sœur) sont allergiques, le risque d'atopie grimpe à 40 à 60 %.

Quels sont les grands coupables?

L'arachide, les noix, le sésame, le poisson, les fruits de mer, le blé, le soja, le lait de vache et les œufs causent plus de 90 % des allergies. Mais on peut être allergique à peu près à n'importe quoi : le riz, la moutarde, le céleri, le persil, la banane, le kiwi et tutti quanti!

Peut-on en guérir?

D'une façon générale, les allergies au lait de vache et aux œufs sont moins sévères et disparaissent durant l'enfance, alors que les allergies aux arachides, aux noix, aux poissons et aux fruits de mer sont plus graves et, dans la majorité des cas, persistent toute la vie.

Comment prévenir l'allergie?

On ne naît pas allergique, on le devient. En effet, c'est l'exposition à l'allergène qui permet à la prédisposition génétique de s'affirmer. Toutefois, la plupart des allergologues sont d'avis qu'on peut aider à prévenir le développement des allergies alimentaires chez un jeune enfant au moyen des mesures suivantes :

Allaiter le nourrisson pendant 4 à 6 mois en évitant de consommer les aliments les plus allergènes, en particulier les arachides, les noix, le poisson, les mollusques et les crustacés. Les protéines allergènes peuvent passer dans le lait maternel et contribuer à une sensibilisation précoce de l'enfant.

Éviter l'introduction des aliments solides avant l'âge de 6 mois, surtout chez les bébés à risque. Jusqu'à cet âge, la paroi de l'intestin est davantage perméable aux grosses protéines et le système immunitaire, encore immature.

Attendre à 12 mois avant d'offrir l'œuf entier car le blanc d'œuf est plus allergène.

Dans l'alimentation de l'enfant d'une famille à risque (au moins un parent, un frère ou une sœur présente une allergie alimentaire), retarder l'introduction des œufs (blancs et jaunes) et des légumineuses après 18 mois, celle du poisson après 2 ans, et enfin celle des arachides, des noix, du sésame, des fruits de mer et du kiwi, après 3 à 5 ans.

Comment vivre avec une allergie?

La seule façon de traiter une allergie alimentaire, c'est d'éviter tout contact avec l'aliment problème et les aliments qui en contiennent. La personne allergique doit donc apprendre à bien lire les étiquettes, demander la composition des mets au restaurant et porter sur soi au besoin une trousse d'urgence contenant des antihistaminiques et un auto-injecteur d'adrénaline de type Epipen. Évidemment, on ne peut pas demander à un jeune enfant d'assumer seul la responsabilité de son allergie. Il apprend et a besoin d'être encadré et soutenu dans ses efforts. D'où l'importance d'informer et de former son entourage (garderie, école, famille élargie, voisins, etc.) pour assurer sa sécurité.

Où peut-on se renseigner?

L'Association québécoise des allergies alimentaires offre des informations téléphoniques, diverses publications, un livre de recettes et des ateliers de formation. On peut joindre l'Association par téléphone au (514) 990-2575 ou par Internet à www.aqaa.qc.ca.

LA CONSTIPATION

Comment la reconnaître?

D'un enfant à l'autre, les habitudes intestinales varient énormément. L'un peut aller à la selle deux fois par jour, un autre une fois par deux jours, et tous deux peuvent être normaux. Le problème commence lorsque l'enfant éprouve de la difficulté ou de la douleur à évacuer ses selles ou que celles-ci sont très peu fréquentes.

À quoi est-ce dû?

La constipation peut avoir une origine médicale, nutritionnelle ou comportementale. L'enfant que l'on pousse à devenir propre, par exemple, ou celui qui a peur d'utiliser la toilette de crainte de tomber «dans le trou» peut réussir de façon extraordinaire à retenir le contenu de ses intestins. Également, le fait de consommer peu d'eau ou de sources de fibres comme les fruits, les légumes et les produits céréaliers entiers rend les selles plus dures et difficiles à passer. Des muscles intestinaux naturellement paresseux produisent le même effet, car les selles, en séjournant plus longtemps dans l'intestin, perdent de l'eau et durcissent. En fait, les causes de la constipation sont multiples. Il peut donc s'avérer utile de consulter un diététiste ou un médecin.

Que faire?

Les conseils généraux suivants devraient aider à soulager la constipation chronique.

Rester neutre. Les enfants ont la remarquable faculté de retenir pour eux le produit de leurs intestins s'ils sentent qu'on en fait trop notre affaire. Encore une fois, on offre un environnement «sans pression». On a fourni la nourriture à notre enfant et on l'a laissé manger? On lui fournit maintenant la toilette et on le laisse en disposer.

Fournir suffisamment de fibres. À partir de l'âge d'un an, l'enfant a besoin de fibres pour assurer un bon fonctionnement de ses intestins. Elles rendent les selles plus abondantes et plus molles et donc plus faciles à passer. Une consommation adéquate de fruits et de légumes, surtout crus et avec la pelure, de pain et de céréales (incluant des produits entiers) et de légumineuses de façon régulière devrait fournir suffisamment de fibres.

Éviter de trop donner de lait. Le lait ne contient pas de fibres. L'enfant qui en boit trop peut en venir à consommer moins d'aliments solides et, en conséquence, moins de fibres. Mieux vaut donc s'en tenir aux quantités de produits laitiers recommandées en fonction de l'âge et servir de l'eau aux petits assoiffés!

Offrir de l'eau entre les repas. L'eau rend le contenu de l'intestin humide et plus facile à diriger… vers la sortie!

Ne pas forcer un enfant à devenir propre. Cela viendra naturellement lorsqu'il sera prêt. Il sera alors fier de nous offrir ce beau « cadeau ».

LA DIARRHÉE
(avec ou sans vomissements)

La diarrhée est une affection très courante durant la petite enfance. Les parents de bouts de chou qui fréquentent la garderie en savent quelque chose! Elle est habituellement brève et sans danger, mais peut s'avérer plus sérieuse si elle n'est pas traitée convenablement.

Comment la reconnaître?

Les habitudes d'élimination diffèrent d'un enfant à l'autre. On parle généralement de diarrhée lorsque la consistance ou la quantité des selles change par rapport à la normale, c'est-à-dire qu'elles deviennent informes ou aqueuses ou plus nombreuses. La diarrhée peut s'accompagner ou non de fièvre, d'une perte d'appétit, de nausées, de vomissements, de douleurs au ventre, de crampes, ou même parfois de sang ou de mucus dans les selles.

À quoi est-ce dû?

Une infection intestinale cause habituellement la diarrhée chez l'enfant. Cela se produit lorsque des microbes (le plus souvent des virus) contaminent l'enfant. Ces indésirables peuvent survivre pendant des jours sur des surfaces comme celles des jouets, des dessus de table, des comptoirs et des tables à langer. Dans les selles d'un enfant contaminé, ils se trouvent par milliers. Comme quelques microbes seulement peuvent suffire à entraîner la diarrhée chez un autre enfant et que les occasions de transmission d'un petit à l'autre ne manquent pas, surtout en garderie, on comprend que la diarrhée se répande souvent plus vite qu'une traînée de poudre!

Une diarrhée chronique (qui dure plus de 2 semaines) peut toutefois cacher une infection causée par une bactérie particulièrement résistante ou un problème médical sous-jacent : intolérance au lactose, allergie alimentaire ou autres. On devrait alors toujours consulter un médecin.

Est-ce dangereux?

La diarrhée chez l'enfant est habituellement bénigne et de courte durée, allant de quelques heures à quelques jours. Non traitée, elle peut toutefois s'avérer grave s'il y a déshydratation. Cela se produit lorsque l'enfant perd par les selles une plus grande quantité d'eau qu'il n'en ingère.

Que faire?

Voici quelques conseils pratiques de la Société canadienne de pédiatrie.

Dès l'apparition de la diarrhée. Cesser de donner des liquides et des aliments solides.

Offrir une solution de réhydratation orale commerciale ou préparée à la maison selon les quantités prescrites (voir l'encadré). Elle compensera l'eau et les sels minéraux (électrolytes) perdus par les selles et les vomissements. Si l'enfant refuse la solution à la tasse ou au biberon, la lui administrer au compte-gouttes, à la cuillère ou à l'aide de bâtons glacés. Il n'est pas recommandé de donner des boissons et des jus de fruits, même dilués, des boissons gazeuses, même dégazéifiées, du Jell-O, du bouillon ou de l'eau de riz. Ces produits ne renferment pas les bonnes proportions d'eau, de sels minéraux et de sucre et peuvent aggraver la diarrhée et causer un déséquilibre des sels minéraux dans le corps.

S'assurer que l'enfant et les personnes qui s'en occupent (parents, gardiens, éducateurs) se lavent les mains avant de manger et de préparer les aliments, après s'être mouchés ou être allés aux toilettes et après avoir toussé, éternué ou avoir changé une couche.

Ne pas partager avec d'autres la tasse, le verre, les ustensiles, les assiettes et la brosse à dents.

> **Quantités à offrir**
> Jusqu'à 2 ans : de 90 à 125 ml par heure.
> Plus de 2 ans : de 125 à 250 ml par heure.
> Si l'enfant vomit : lui donner 15 ml toutes les 10 à 15 minutes jusqu'à ce qu'il cesse de vomir. Offrir ensuite les quantités ci-dessus.

Six heures plus tard. Lorsque les vomissements disparaissent, offrir souvent de petites quantités de lait maternisé, de lait entier ou d'aliments solides. S'ils se poursuivent toujours de quatre à six heures après avoir commencé, amener l'enfant à l'hôpital.

Continuer d'offrir la solution orale jusqu'à ce que la diarrhée s'apaise.

Ne pas offrir de boissons ou de desserts sucrés tant que la diarrhée n'a pas cessé.

Après 24 à 48 heures. Le retour rapide à l'alimentation normale favorise la guérison de la diarrhée. Après 24 à 48 heures, la plupart des enfants peuvent reprendre un régime normal.

Les solutions de réhydratation orale

Les solutions de réhydratation orale renferment une proportion appropriée d'eau, de sels minéraux et de sucre. On peut se procurer des versions commerciales de type Pedialyte ou Gastrolyte en pharmacie. Ou les préparer soi-même en combinant les ingrédients suivants. S'assurer alors de bien les mesurer et les mélanger :

Jus d'orange non sucré (360 ml)

Eau bouillie refroidie (600 ml)

Sel (2 ml)

Ces boissons renferment les proportions idéales d'eau, de sels minéraux (électrolytes) et de sucre. N'y ajouter aucun autre ingrédient.

Quand consulter?

L'enfant doit être examiné par un médecin le plus tôt possible s'il présente de la fièvre (plus de 38,5 °C), des vomissements persistants (plus de 4 à 6 heures), du sang dans les selles (elles sont alors de couleur noire) ou des signes de déshydratation. Lorsque l'enfant présente une diarrhée chronique (qui dure plus de 2 semaines), il doit aussi être vu par le médecin.

Les signes de déshydratation

L'enfant urine moins.

Ses urines sont plus foncées.

Il n'a plus de larmes.

Il a la peau, la bouche et la langue sèches.

Il a les yeux enfoncés dans les orbites.

Sa fontanelle (surface molle sur la tête) est enfoncée (chez l'enfant de moins de 18 mois).

L'ÉTOUFFEMENT

L'étouffement fait chaque année de nombreuses petites victimes. De fait, c'est la deuxième cause de mortalité à la maison chez les enfants de moins de cinq ans. Comme un parent avisé en vaut deux, voici comment le prévenir.

Comment s'étouffe-t-on?

L'étouffement se produit lorsque des objets ou des morceaux d'aliments introduits dans la bouche prennent le mauvais chemin et viennent bloquer les voies respiratoires. Cela peut arriver si l'enfant mange des morceaux d'aliments trop gros, s'il mange trop vite, qu'il ne mâche pas assez ou qu'il pleure, rit ou court avec des aliments dans la bouche. Les tout-petits sont particulièrement à risque, car l'absence de molaires (les premières font habituellement surface vers l'âge de 12 à 16 mois) et le mouvement de leurs mâchoires ne leur permettent pas de broyer suffisamment les aliments.

Quels sont les aliments dangereux?

Parce qu'ils ont la même grosseur que l'œsophage (le tube qui conduit à l'estomac) d'un jeune enfant, certains aliments peuvent rester pris dans la gorge et bloquer la trachée (le tube qui conduit l'air aux poumons). Les aliments petits, durs et ronds, comme les bonbons, les arachides, les noix, les raisins, le maïs soufflé et les rondelles de saucisses, de carotte et de céleri crus, présentent le plus de risques.

Comment prévenir l'étouffement?

Manger assis. Ce qui veut dire à la table ou dans la chaise haute. On ne devrait jamais laisser un enfant marcher, courir ou se promener à vélo ou en auto avec quelque chose dans la bouche.

Toujours surveiller l'enfant lorsqu'il mange.

Ne pas laisser un enfant en nourrir un autre.

Éviter les ustensiles et les verres en polystyrène (« styrofoam ») ou en plastique mince. Comme ceux qu'on utilise pour les pique-niques ou les aliments prêts-à-manger à emporter. Ils peuvent plus facilement se briser que ceux qui sont faits en métal ou en plastique rigide.

Présenter des aliments adaptés à ses capacités. Règle générale toutefois, la Société canadienne de pédiatrie et l'Institut national de santé publique du Québec recommandent les précautions suivantes selon les différents âges.

Avant 1 an

Offrir

Les pommes crues râpées.

Les raisins frais coupés en quatre.

Les fruits sans pelure, noyaux et pépins.

Les petits fruits (fraises, framboises, bleuets) en purée tamisée.

Les saucisses taillées dans le sens de la longueur puis en petits morceaux.

Entre 1 et 2 ans

Éviter

Les fruits et les légumes crus durs (carotte, céleri et autres), les biscuits étouffants (comme ceux aux figues ou aux dattes) et la mie de pain fraîche.

Offrir

Certains légumes crus très tendres, coupés en morceaux (concombre, champignons, tomate).

Les autres légumes crus râpés ou taillés en fines lanières.

Les pommes, les pêches et les poires crues coupées en petits morceaux, sans pelure ni pépins ou noyaux.

À partir de 2 ans

Offrir

La pomme crue entière sans pelure.

Les petits fruits entiers.

Les légumes crus taillés en lanières (sauf les carottes, qui devraient être râpées) ou légèrement cuits.

Avant 4 ans

Éviter

Les graines (tournesol, citrouille), les noix, les arachides et le beurre d'arachide croquant.

Les raisins secs et les fruits séchés durs (dattes, pruneaux durs, bananes et autres).

Les gommes à mâcher, les bonbons durs et les pastilles contre la toux.

Le maïs soufflé et les croustilles.

Les rondelles de saucisses et de carottes crues.

Le poisson qui a des arêtes.

Les aliments servis avec des cure-dents ou des brochettes.

Offrir

Le beurre d'arachide crémeux tartiné en une couche mince sur un craquelin ou du pain. L'enfant ne devrait pas en manger seul ou avec une cuillère.

Les saucisses coupées en dés.

Les carottes crues râpées.

Les raisins secs et les fruits séchés durs hachés.

Les fruits à noyaux (prunes, nectarines et autres) dénoyautés.

À partir de 4 ans

Tailler les saucisses en deux dans le sens de la longueur.

Étendre le beurre d'arachide crémeux en une couche mince sur des craquelins ou du pain. L'enfant ne devrait pas en manger seul ou avec une cuillère.

Soupes et mets d'accompagnement

Lorsque la recette indique « 12 mois et plus », le mets contient des aliments à risque d'étouffement pour un enfant de moins de 12 mois (voir chapitre 7) ; ou il contient des œufs entiers, qui sont non recommandés avant 12 mois pour réduire le risque d'allergie aux œufs ; ou il présente des ingrédients plus relevés ou salés (ex. jambon, sauce soja) ou des friandises (ex. chocolat, confiture) ; ou il contient du miel qui est non recommandé avant 12 mois par mesure de prudence face au risque de botulisme.

À moins de porter la mention « 12 mois et plus », la recette convient dès l'âge de 9 mois. Toutefois, avant de présenter à un enfant une recette « mélangée » (une casserole, par exemple), on devrait de préférence l'avoir initié à tous les ingrédients séparément.

Soupe won ton

12 mois et plus • Se congèle

Une soupe orientale nourrissante et savoureuse. Les enfants adoreront déguster les won ton farcis... avec les doigts!

PRÉPARATION : 25 MIN		**CUISSON : 15 MIN**		**10 PORTIONS DE 250 ML (1 TASSE)**

250 g	porc (ou dinde) haché maigre	1/2 lb
5 ml	huile de sésame	1 c. à thé
1	œuf	1
1	oignon vert haché	1
2 ml	coriandre moulue	1/2 c. à thé
15 ml	persil haché	1 c. à soupe
1	paquet (454 g/1 lb) de feuilles de pâte à won ton	1
1,5 l	eau	6 tasses
500 ml	bouillon de poulet	2 tasses
45 ml	sauce soja allégée en sel	3 c. à soupe
4	tranches de gingembre ou 10 ml (2 c. à thé) de gingembre moulu	4
250 ml	carottes en julienne	1 tasse
250 ml	chou vert émincé	1 tasse
125 ml	oignons verts hachés	1/2 tasse
45 ml	coriandre fraîche hachée	3 c. à soupe

Mélanger le porc, l'huile de sésame, l'œuf, l'oignon vert, la coriandre et le persil.

Disposer un carré de pâte à won ton sur la surface de travail, une pointe dirigée vers soi. Déposer 5 ml (1 c. à thé) du mélange de viande au centre du carré et en humecter les côtés d'un peu d'eau. Replier la pâte pour former un triangle et sceller. Humecter d'eau deux des pointes du triangle, les joindre et les sceller. Procéder ainsi jusqu'à épuisement de la farce pour obtenir 36 won ton. Réserver.

Dans une casserole, porter à ébullition l'eau, le bouillon, la sauce soja et le gingembre. Cuire une dizaine de won ton à la fois pendant 3 min, les retirer du bouillon et les réserver au chaud dans des bols individuels ou dans un grand bol de service.

Retirer les tranches de gingembre du bouillon. Ajouter les carottes, le chou et l'oignon vert et cuire environ 3 min ou jusqu'à ce que les légumes soient tendres.

Verser la soupe chaude sur les won ton. Garnir de coriandre hachée.

Variantes

Utiliser d'autres légumes : laitue ou épinards frais ciselés, champignons en tranches, haricots mungo frais et céleri en julienne. Dans la farce, remplacer une partie de la viande par des crevettes hachées finement.

Trucs

Si on utilise du gingembre moulu, mieux vaut ne l'ajouter qu'en fin de préparation, en même temps que les légumes, pour éviter qu'il ne perde sa saveur.

Pour toujours avoir du gingembre frais à portée de main, en garder une racine au congélateur, bien enveloppée dans du papier d'aluminium. Au moment de l'utiliser, on laisse dégeler légèrement, on pèle et on hache la quantité nécessaire.

Par portion

Calories 150
Glucides 19 g
Protéines 11 g
Fibres alimentaires 1,0 g
Matières grasses 2,9 g
Sodium 516 mg

Excellente source
de vitamine A
Bonne source d'acide folique
et de vitamine B$_{12}$
Source de vitamine C,
de magnésium et de fer

Soupe won ton

Potage de la ferme à Mathurin

Se congèle

On peut aussi servir ce potage rempli de beaux légumes tel quel, sans le réduire en purée.

PRÉPARATION : 10 MIN	CUISSON : 35 MIN	10 PORTIONS DE 200 ML (3/4 TASSE)

5 ml	huile	1 c. à thé
1	oignon moyen émincé	1
2	gousses d'ail hachées	2
2	branches de céleri en dés	2
2	carottes en dés	2
1	panais en dés	1
2	pommes de terre pelées, en dés	2
2	grosses tomates pelées et épépinées, en dés ou 1 boîte (540 ml/19 oz) de tomates en dés	2
1	boîte (284 ml/10 oz) de bouillon de poulet condensé plus une boîte d'eau	1
2 ml	sel	1/2 c. à thé
500 ml	lait	2 tasses
30 ml	persil haché ou 10 ml (2 c. à thé) de persil séché crème 35 % et croûtons (facultatif)	2 c. à soupe

Dans une casserole, chauffer l'huile à feu moyen. Ajouter l'oignon et l'ail et cuire 5 min ou jusqu'à ce que l'oignon soit ramolli. Ajouter les dés de céleri, de carottes, de panais et de pommes de terre et cuire encore 10 min.

Incorporer les dés de tomates, le bouillon de poulet, l'eau et le sel. Laisser mijoter 20 min ou jusqu'à ce que les légumes soient cuits.

Réduire en purée au mélangeur. Remettre dans la casserole. Incorporer le lait et le persil. Réchauffer doucement, sans faire bouillir.

Servir avec une touche de crème et quelques croûtons, si désiré.

Variante

Pour une soupe plus consistante, ajouter des pâtes alimentaires cuites ou des légumineuses cuites (entières ou réduites en purée).

Trucs

La chair du panais noircit au contact de l'air. Il est préférable de le cuire dès qu'on le coupe ou de le faire tremper dans de l'eau citronnée.

On peut congeler cette soupe avant d'ajouter le lait.

Par portion

Calories 98
Glucides 17 g
Protéines 4,5 g
Fibres alimentaires 2,9 g
Matières grasses 2,0 g
Sodium 387 mg

Excellente source
de vitamine A
Bonne source de vitamine C
Source d'acide folique,
de vitamine B$_{12}$, de calcium,
de magnésium, de fer
et de fibres

Velouté de carottes

Une soupe colorée qui regorge de vitamines et de minéraux, en particulier de vitamine A.

PRÉPARATION : 10 MIN	CUISSON : 25 MIN	8 PORTIONS DE 200 ML (3/4 TASSE)

Variante
Remplacer le tofu par 375 ml (1 1/2 tasse) de lait de soja ou de vache.

Truc
Ne pas entreposer les carottes près des fruits ou des légumes qui dégagent beaucoup de gaz éthylène, telles les poires, pommes ou pommes de terre, car elles mûriront trop rapidement et deviendront amères.

Par portion
Calories 113
Glucides 19 g
Protéines 4,8 g
Fibres alimentaires 2,9 g
Matières grasses 2,4 g
Sodium 299 mg

Excellente source de vitamine A
Source de vitamine C, d'acide folique, de vitamine B_{12}, de magnésium, de fer et de fibres

Dans une casserole, chauffer l'huile à feu moyen. Ajouter le poireau et cuire 5 min ou jusqu'à ce qu'il soit ramolli. Ajouter les carottes, les dés de pommes de terre, les quartiers de pomme, le bouillon de poulet, l'eau et le sel.

Laisser mijoter 20 min ou jusqu'à ce que les carottes soient cuites.

Réduire les légumes en purée au mélangeur. Remettre dans la casserole.

Réduire le tofu en purée et incorporer aux légumes. Réchauffer doucement, sans faire bouillir.

Servir chaud avec un soupçon de sirop d'érable et de crème, si désiré.

5 ml	huile	1 c. à thé
1	poireau émincé	1
1 l	carottes en rondelles	4 tasses
2	pommes de terre pelées, en dés	2
1	pomme pelée, en quartiers	1
1	boîte (284 ml/10 oz) de bouillon de poulet condensé	1
500 ml	eau	2 tasses
1 ml	sel	1/4 c. à thé
1	paquet (300 g/10 oz) de tofu mou	1
	sirop d'érable et crème 35 % (facultatif)	

Soupe de la princesse Petit Pois

12 mois et plus · Se congèle

Sa texture veloutée cache une bonne quantité de fibres.

PRÉPARATION : 15 MIN	CUISSON : 1 H 15	9 PORTIONS DE 200 ML (3/4 TASSE)

10 ml	huile	2 c. à thé
1	gros oignon en dés	1
2	carottes en dés	2
2	branches de céleri en dés	2
1,5 l	eau	6 tasses
500 ml	bouillon de légumes ou de poulet	2 tasses
250 ml	pois jaunes cassés non cuits, rincés	1 tasse
50 ml	orge mondé non cuit	1/4 tasse
3 ml	sel	3/4 c. à thé
3 ml	sarriette	3/4 c. à thé
4	tranches de bacon végétarien en dés	4
250 ml	pois verts surgelés non cuits	1 tasse

Dans une casserole, chauffer l'huile à feu moyen. Ajouter l'oignon, les carottes et le céleri et cuire en remuant souvent pendant 5 min ou jusqu'à ce que l'oignon soit tendre.

Ajouter l'eau et le bouillon ainsi que les pois cassés, l'orge, le sel et la sarriette. Couvrir et porter à ébullition. Baisser le feu et laisser mijoter mi-couvert 1 h ou jusqu'à ce que les pois et l'orge soient cuits.

Si on le souhaite, réduire la soupe en purée au mélangeur et remettre dans le chaudron. Ajouter les dés de bacon et les pois verts. Cuire à découvert 10 min. Servir.

Variante

Remplacer le bacon végétarien par du «vrai» bacon ou encore par 125 ml (1/2 tasse) de dés de jambon.

Truc

Dans la plupart des supermarchés des grandes chaînes d'alimentation, le bacon végétarien se trouve au même endroit que le tofu et les produits dérivés.

Info nutritionnelle

Les similiviandes comme le pepperoni ou le bacon végétarien, sont faites avec des protéines de soja mélangées à d'autres ingrédients comme l'eau, le gluten de blé, des extraits de levure, des épices et autres.

Par portion

Calories 136
Glucides 21 g
Protéines 9,6 g
Fibres alimentaires 4,0 g
Matières grasses 1,9 g
Sodium 446 mg

Excellente source de vitamine A et d'acide folique
Bonne source de vitamine B_{12} et de fibres
Source de vitamine C, de magnésium et de fer

Servie avec les baguettes magiques (p. 64), la soupe de la princesse Petit Pois disparaît rapidement.
Deux textures, en purée ou avec ses morceaux entiers.

Paillassons de légumes

12 mois et plus • Se congèle

Délicieux en accompagnement du pain de lentilles (voir p. 87).

PRÉPARATION : 15 MIN	**CUISSON : 20 MIN**	**10 PAILLASSONS**

1	courgette moyenne râpée	1
1	pomme de terre moyenne pelée, râpée	1
1	carotte moyenne râpée	1
75 ml	fromage râpé	1/3 tasse
2	oignons verts hachés finement	2
1	œuf	1
10 ml	huile	2 c. à thé

Préchauffer le four à 200 °C (400 °F).

Déposer les légumes râpés, le fromage et l'oignon vert dans un bol. Bien mélanger. Incorporer l'œuf et l'huile.

Déposer 50 ml (1/4 tasse) de ce mélange en forme de galette ronde sur une plaque à biscuits recouverte de papier parchemin.

Cuire au four 10 min ou jusqu'à ce que le dessous des paillassons soit doré, les retourner et cuire environ 10 min ou jusqu'à ce qu'ils soient brunis.

Servir avec de la crème sure.

Trucs

On peut préparer les paillassons jusqu'à deux jours à l'avance. Au moment de servir, on les réchauffe 10 min à 180 °C (350 °F).

Afin de pouvoir l'offrir aux enfants de moins de 12 mois, omettre l'œuf et augmenter la quantité de fromage à 200 ml (3/4 tasse). La valeur nutritive sera quelque peu différente.

Par paillasson

Calories 42
Glucides 3,9 g
Protéines 2,1 g
Fibres alimentaires 0,7 g
Matières grasses 2,1 g
Sodium 30 mg

Excellente source
de vitamine A
Source de vitamine C
et de vitamine B_{12}

Paillassons de légumes

Purée de patates et patates

Une purée nouveau genre à utiliser en accompagnement d'un rôti de viande, du poulet à l'orange (voir p. 103) ou dans la préparation d'un pâté chinois.

PRÉPARATION : 10 MIN	CUISSON : 15 MIN	8 PORTIONS DE 125 ML (1/2 TASSE)

3	grosses pommes de terre pelées, en morceaux	3
1	patate douce pelée, en morceaux	1
1	navet pelé, en morceaux	1
1	grosse carotte pelée, en morceaux	1
45 ml	crème 35 %	3 c. à soupe

Cuire les légumes à l'eau bouillante salée 15 min ou jusqu'à ce qu'ils soient tendres. Égoutter.

Réduire en purée au pilon ou à l'aide du moulin à légumes, puis incorporer la crème.

Truc

Ne pas réduire les pommes de terre en purée à l'aide d'un malaxeur car la vitesse de rotation rend la purée élastique comme de la colle.

Saviez-vous que…

On confond souvent navet et rutabaga. Le navet est généralement blanchâtre sauf à son sommet où il est de couleur vive (rouge ou pourpre). Sa chair est blanche. Le rutabaga, une espèce voisine, a une pelure et une chair jaunâtre avec une saveur plus prononcée.

Par portion

Calories 82
Glucides 15 g
Protéines 1,6 g
Fibres alimentaires 2,0 g
Matières grasses 2,1 g
Sodium 149 mg

Excellente source
de vitamine A
Bonne source de vitamine C
Source d'acide folique, de
magnésium et de fibres

Sauce aux légumes

Une sauce polyvalente à utiliser en accompagnement du super-pain de viande (voir p. 99), des croquettes végétariennes (voir p. 86), du pain de lentilles (voir p. 87) ou tout simplement avec des pâtes.

PRÉPARATION : 10 MIN	**CUISSON : 20 MIN**	**10 PORTIONS DE 50 ML (1/4 TASSE)**

Variantes

Ajouter des champignons et/ou dés de poivron au moment de cuire les courgettes.

Pour une sauce végétarienne (délicieuse avec des pâtes), ajouter 125 ml (1/2 tasse) de lentilles rouges non cuites et 250 ml (1 tasse) d'eau en même temps que la sauce tomate et laisser mijoter 15 min ou jusqu'à ce que les lentilles soient cuites. La teneur en protéines en sera augmentée.

Par portion

Calories 38
Glucides 5,8 g
Protéines 0,9 g
Fibres alimentaires 1,2 g
Matières grasses 1,6 g
Sodium 131 mg

Excellente source de vitamine A
Source de vitamine C et de magnésium

Dans une casserole, chauffer l'huile à feu moyen. Ajouter l'oignon, les courgettes et la carotte râpée. Couvrir et cuire 10 min ou jusqu'à ce que les légumes soient cuits.

Réduire en purée à l'aide du mélangeur à main. Incorporer la sauce tomate, l'origan et le sucre. Laisser mijoter 10 min. Ajouter la crème et servir.

5 ml	huile	1 c. à thé
1	petit oignon haché	1
500 ml	courgettes en dés	2 tasses
200 ml	carotte râpée	3/4 tasse
1	boîte (213 ml/7,5 oz) de sauce tomate	1
2 ml	origan séché	1/2 c. à thé
15 ml	sucre	1 c. à soupe
30 ml	crème 35 %	2 c. à soupe

Salsa à la lime

12 mois et plus

Délicieusement rafraîchissante, cette salsa accompagne bien une omelette, les burritos de Juanita (voir p. 74) ou les crêpes de Pedro (voir p. 75).

PRÉPARATION : 5 MIN

12 PORTIONS DE 50 ML (1/4 TASSE)

1	oignon vert haché finement	1
45 ml	oignon rouge haché finement	3 c. à soupe
1	petite gousse d'ail écrasée	1
45 ml	poivron vert haché	3 c. à soupe
1	boîte (540 ml/19 oz) de tomates en dés	1
30 ml	pâte de tomate	2 c. à soupe
30 ml	jus de lime	2 c. à soupe
15 ml	zeste de lime	1 c. à soupe
	sauce de type Tabasco (facultatif)	

Dans un bol, mélanger tous les ingrédients. Verser environ la moitié de la préparation dans la jarre du mélangeur et réduire en purée grossière.

Remettre dans le bol avec le reste de la préparation et laisser « mariner » toute la nuit pour que les saveurs se développent.

Truc

La lime possède une chair juteuse, très acide et très parfumée. Elle se conserve à température ambiante environ 1 semaine, mais elle aura tendance à jaunir si elle est exposée à une forte lumière, ce qui altérera aussi sa saveur.

Par portion

Calories 14
Glucides 3,1 g
Protéines 0,6 g
Fibres alimentaires 0,7 g
Matières grasses 0,1 g
Sodium 73 mg

Source de vitamine C

La salsa à la lime servie ici avec les crêpes de Pedro (p. 75).

Trempette à l'italienne

Les haricots blancs font de cette trempette-tartinade une collation riche en protéines et en acide folique. Idéale avec crudités et croustilles de pita!

PRÉPARATION : 15 MIN

8 PORTIONS DE 50 ML (1/4 TASSE)

1	boîte (540 ml/19 oz) de haricots blancs égouttés	1
2	oignons verts	2
30 ml	persil haché	2 c. à soupe
30 ml	huile	2 c. à soupe
15 ml	jus de citron	1 c. à soupe
15 ml	tomates séchées hachées	1 c. à soupe
15 ml	ciboulette hachée	1 c. à soupe
1	pincée de cayenne	1

Faire tremper les tomates séchées dans un peu d'eau bouillante 10 min pour les réhydrater. Égoutter.

Réduire tous les ingrédients en purée au robot culinaire.

Variante

Utiliser cette trempette comme tartinade pour un sandwich.

Trucs

Les légumineuses en conserve sont aussi nutritives que les légumineuses sèches. Il faut toutefois les rincer abondamment avant de les consommer. Pour réduire les flatulences qu'elles peuvent causer, utiliser du cumin dans votre recette ou prendre une infusion de cumin (5 ml [1 c. à thé] dans 250 ml [1 tasse] d'eau chaude, infuser 5 min).

Info nutritionnelle

Les légumineuses sont de véritables petits trésors de minéraux. Elles contiennent des quantités appréciables de fer, de magnésium, de zinc, de potassium, de calcium, de manganèse et de cuivre.

Par portion

Calories 106
Glucides 13 g
Protéines 5,0 g
Fibres alimentaires 3,6 g
Matières grasses 4,0 g
Sodium 6 mg

Bonne source d'acide folique
Source de vitamine C, de magnésium, de fer et de fibres

Sauce blanche sans lait

Voici une sauce blanche infaillible, garantie sans grumeaux! Elle est délicieuse avec du poulet, des pâtes ou des légumes.

PRÉPARATION : 5 MIN	CUISSON : 15 MIN	4 PORTIONS DE 125 ML (1/2 TASSE)

Variante

Ajouter 30 ml (2 c. à soupe) de pâte de tomate pour en faire une sauce rosée; ou incorporer des légumes cuits pour une sauce primavera.

Info nutritionnelle

Le lait de soja «enrichi» fournit autant de calcium et de vitamine D que le lait de vache, alors que les versions non enrichies contiennent peu de calcium et pas de vitamine D.

Par portion

Calories 114
Glucides 7,0 g
Protéines 5,9 g
Fibres alimentaires 0,8 g
Matières grasses 7,2 g
Sodium 93 mg

Bonne source de calcium
Source de magnésium
et de fer

Mélanger la farine et la moutarde sèche dans une casserole. Incorporer le lait de soja et cuire à feu moyen en remuant constamment à l'aide d'un fouet, 10 min ou jusqu'à ce que la sauce bouillonne et épaississe.

Incorporer l'huile et le parmesan, si désiré. Saler et poivrer.

45 ml	farine tout usage	3 c. à soupe
2 ml	moutarde sèche	1/2 c. à thé
500 ml	lait de soja enrichi	2 tasses
15 ml	huile	1 c. à soupe
50 ml	parmesan râpé (facultatif)	1/4 tasse

Baguettes magiques

12 mois et plus • Se congèle

Des bâtonnets de pain au fromage à fabriquer avec votre apprenti cuistot et à déguster avec le potage de la ferme (voir p. 52) ou tout simplement en collation.

PRÉPARATION : 15 MIN		ATTENTE : 15 MIN	CUISSON : 10 MIN	24 BÂTONNETS

300 ml	farine tout usage	1 1/4 tasse
125 ml	farine de blé entier	1/2 tasse
125 ml	parmesan râpé	1/2 tasse
1	enveloppe de levure rapide	1
2 ml	sel	1/2 c. à thé
2 ml	sucre	1/2 c. à thé
200 ml	eau	3/4 tasse
5 ml	huile	1 c. à thé
1	œuf, blanc et jaune séparés	1
15 ml	graines de pavot	1 c. à soupe
15 ml	graines de sésame	1 c. à soupe

Préchauffer le four à 200 °C (400 °F).

Au robot culinaire, mélanger les farines, le parmesan, la levure, le sel et le sucre. Réserver. Chauffer l'eau et l'huile au micro-ondes 1 min à puissance maximale (la température de l'eau doit être entre 50 °C et 60 °C [125 °F et 130 °F]).

Mettre le robot culinaire en marche, verser l'eau, l'huile et le jaune d'œuf à travers le tube d'alimentation et mélanger jusqu'à la formation d'une boule de pâte. Continuer à mélanger pendant 1 min pour pétrir la pâte. Transférer la pâte sur une surface enfarinée, couvrir d'une pellicule plastique et laisser reposer 15 min.

Huiler légèrement une plaque à biscuits et la saupoudrer de semoule de maïs, ou recouvrir la plaque de papier parchemin. Abaisser la pâte en un rectangle d'environ 18 x 25 cm (7 x 10 po).

Couper en 12 lanières de 18 cm (7 po), puis couper chaque lanière en deux. Badigeonner de blanc d'œuf légèrement battu. Saupoudrer des graines de pavot et de sésame. Tordre les lanières et les déposer sur la plaque en les espaçant de 2 cm (1 po).

Cuire 10 à 12 min ou jusqu'à ce que les bâtonnets soient dorés.

Variante

Pour une version ultra-rapide, utiliser 250 g (1/2 lb) de pâte à pizza crue. Procéder et cuire de la même façon.

Pour 2 bâtonnets

Calories 103
Glucides 15 g
Protéines 4,7 g
Fibres alimentaires 1,4 g
Matières grasses 2,8 g
Sodium 149 mg

Source d'acide folique, de vitamine B_{12}, de calcium, de magnésium et de fer

Plats principaux

Quiche aux griffes de loup

L'asperge est la pousse comestible qui sort de la tige souterraine que l'on appelle « griffe ».

PRÉPARATION : 10 MIN	CUISSON : 30 MIN	6 PORTIONS

500 g	asperges fraîches ou surgelées, cuites	1 lb
1	fond de tarte de 23 cm (9 po) de diamètre, non cuit	1
5	œufs	5
100 ml	crème sure	6 c. à soupe
45 ml	farine	3 c. à soupe
45 ml	crème 35 %	3 c. à soupe
45 ml	parmesan râpé	3 c. à soupe
5 ml	moutarde forte	1 c. à thé

Préchauffer le four à 190 °C (375 °F).

Mettre de côté 10 pointes d'asperges pour la décoration. Couper le reste des asperges en morceaux de 2,5 cm (1 po) de long. Déposer dans le fond de tarte.

Dans un bol, battre les œufs. Incorporer la crème sure, la farine, la crème, le parmesan et la moutarde. Verser délicatement sur les asperges.

Disposer les tiges d'asperges réservées pour former une roue.

Cuire au four 30 min. Servir chaud, tiède ou froid avec une salade de carottes.

Variante

Pour faire la Quiche des trois petits cochons, remplacer les asperges par 250 g/1/2 lb (2 tasses) de dés de jambon cuit et omettre le parmesan.

Trucs

Lorsque le fond de tarte est dans une assiette d'aluminium, le cuire en déposant l'assiette sur une plaque à biscuits. Le dessous sera doré et bien cuit, foi de la grand-maman d'Isabelle !

Afin de pouvoir déguster cette quiche toute l'année, faites un choix pratique et économique, utilisez des asperges surgelées. Elles sont souvent moins chères que les fraîches, surtout hors saison, et n'offrent que la partie comestible de l'aliment.

Par portion

Calories 310
Glucides 22 g
Protéines 12 g
Fibres alimentaires 1,7 g
Matières grasses 20 g
Sodium 306 mg

Excellente source d'acide folique et de vitamine B_{12}
Bonne source de vitamine A et de vitamine C
Source de calcium, de magnésium et de fer

Quiche aux griffes de loup

Pain doré aux bananes

Se prépare rapidement la veille pour déguster sans presse le lendemain!

PRÉPARATION: 10 MIN	ATTENTE: 12 H	CUISSON: 15 MIN	6 PORTIONS

4	œufs	4
200 ml	bananes en purée	3/4 tasse
300 ml	lait	1 1/4 tasse
45 ml	farine	3 c. à soupe
45 ml	sucre	3 c. à soupe
5 ml	vanille	1 c. à thé
2 ml	poudre à pâte	1/2 c. à thé
6	tranches de pain de 2 cm (3/4 po) d'épaisseur	6
10 ml	huile de canola	2 c. à thé
10 ml	beurre	2 c. à thé
	sirop d'érable	

Dans un bol, déposer les œufs, la purée de bananes, le lait, la farine, le sucre, la vanille et la poudre à pâte. Réduire en purée lisse à l'aide d'un mélangeur à main.

Déposer les tranches de pain en une seule couche dans le fond d'un grand plat peu profond. Verser la préparation aux œufs et retourner les tranches de pain pour bien les imbiber.

Étendre une pellicule de plastique directement sur le pain et déposer un poids en surface pour permettre au pain de bien s'imbiber. Réfrigérer toute la nuit.

À feu moyen-élevé, faire chauffer un peu de l'huile et du beurre dans un poêlon antiadhésif. Cuire les tranches de pain 2 à 3 min de chaque côté ou jusqu'à ce qu'elles soient dorées.

Répéter avec les autres tranches en utilisant le reste du beurre et de l'huile au besoin.

Servir chaud avec du sirop d'érable et des tranches de fruits.

Variante
Remplacer le lait par du lait de soja.

Info nutritionnelle
L'œuf est avec le foie, l'une des meilleures sources de vitamine A. De plus, un seul œuf de calibre gros contient assez de vitamines B pour combler les besoins quotidiens d'un adulte.

Par portion
Calories 252
Glucides 36 g
Protéines 9,4 g
Fibres alimentaires 2,0 g
Matières grasses 8,2 g
Sodium 273 mg

Excellente source de vitamine B_{12}
Bonne source d'acide folique
Source de vitamine A, de vitamine C, de calcium, de magnésium, de fer et de fibres

Œufs en rouleaux

12 mois et plus

Des œufs à manger avec les doigts qui se transformeront au gré du goût et de la fantaisie du dégustateur.

PRÉPARATION : 2 MIN　　**CUISSON : 10 MIN**　　**5 ROULEAUX**

Info nutritionnelle

L'œuf contient les 9 acides aminés essentiels, et ce, dans les proportions idéales. C'est aussi une bonne source de 11 éléments nutritifs essentiels et une des rares sources de vitamines A, D et K. Il contient aussi de la choline, un nutriment essentiel dans le développement du cerveau et de la mémoire.

Par rouleau (sans garniture)

Calories 30
Glucides 0,2 g
Protéines 2,5 g
Fibres alimentaires 0
Matières grasses 2,0 g
Sodium 25 mg

Source de vitamine B$_{12}$

Battre les œufs et l'eau au fouet. Huiler le fond d'un petit poêlon antiadhésif et chauffer à feu moyen-élevé. Y verser 30 ml (2 c. à soupe) de la préparation aux œufs et secouer pour que la préparation couvre tout le fond.

Cuire 1 à 2 min ou jusqu'à ce qu'elle soit cuite. Faire glisser dans une assiette, déposer une garniture de son choix et rouler.

Servir aussitôt ou réchauffer quelques secondes au micro-ondes.

2	œufs	2
15 ml	eau	1 c. à soupe

Garnitures

Beurre d'arachide et confiture

Fromage à la crème nature ou aux épinards

Tartinade au thon ou aux œufs

Tranche de jambon

Lamelles de fromage

Minipâtés chinois

Du pâté chinois qui se mange avec les doigts !

PRÉPARATION : 10 MIN	**CUISSON : 25 MIN**	**6 PORTIONS**

3	pommes de terre moyennes pelées	3
5 ml	huile	1 c. à thé
	sel et poivre	
300 g	porc haché maigre	10 oz
1	oignon vert haché	1
30 ml	sauce chili	2 c. à soupe
60 ml	maïs en crème	4 c. à soupe
125 ml	cheddar râpé	1/2 tasse

Préchauffer le four à 200 °C (400 °F).

Couper les pommes de terre en tranches d'environ 1 cm (1/2 po) d'épaisseur. Les déposer en une seule rangée sur une plaque à biscuits recouverte d'un papier parchemin. Vaporiser d'huile les tranches de pommes de terre, saler et poivrer. Cuire au four 15 min. Réserver.

Pendant ce temps, dans un poêlon, chauffer l'huile à feu moyen. Y cuire le porc et l'oignon vert jusqu'à ce que la viande soit brunie. Retirer du feu, égoutter, incorporer la sauce chili, le maïs et le cheddar.

Déposer environ 15 ml (1 c. à soupe) de cette préparation sur les tranches de pommes de terre précuites.

Cuire au four 10 min ou jusqu'à ce que le fromage soit fondu. Servir.

Variante
Remplacer le porc haché par n'importe quelle autre viande hachée.

Truc
Le bœuf haché ordinaire peut être économique, à condition qu'il soit possible, comme dans le cas de cette recette, d'égoutter le gras de cuisson avant d'ajouter les autres ingrédients de la recette.

Pour 4 minipâtés chinois
Calories 167
Glucides 13 g
Protéines 14 g
Fibres alimentaires 1,0 g
Matières grasses 6,4 g
Sodium 180 mg

Bonne source de vitamine B$_{12}$
Source de vitamine C, d'acide folique, de calcium, de magnésium et de fer

Minipâtés chinois

Rouleaux de printemps

Manger avec ses doigts, c'est permis!

PRÉPARATION: 30 MIN		ATTENTE: 30 MIN	7 ROULEAUX

125 g	tofu ferme	1/4 lb
15 ml	sauce hoisin	1 c. à soupe
15 ml	sauce soja allégée en sel	1 c. à soupe
15 ml	eau	1 c. à soupe
250 ml	vermicelles de riz cuits	1 tasse
200 ml	carotte râpée	3/4 tasse
45 ml	ciboulette hachée	3 c. à soupe
	ou 15 ml (1 c. à soupe) de ciboulette séchée	
15 ml	vinaigre de riz	1 c. à soupe
10 ml	gingembre frais finement haché	2 c. à thé
2 ml	huile de sésame	1/2 c. à thé
7	galettes de riz de 24 cm (9 1/2 po) de diamètre (feuilles semi-transparentes sèches)	7

Couper le tofu en bâtonnets d'environ 1 cm (1/2 po) de largeur. Mélanger ensemble la sauce hoisin, la sauce soja et l'eau et y faire mariner le tofu au frigo au moins 30 min ou jusqu'au lendemain.

Déposer les vermicelles de riz dans un bol et couper grossièrement. Ajouter les carottes, la ciboulette, le vinaigre, le gingembre et l'huile de sésame aux vermicelles. Bien mélanger.

Déposer une galette de riz dans un grand bol rempli d'eau tiède pour la faire ramollir. Retirer avec précaution et déposer à plat. Étaler au centre de la galette environ 30 ml (2 c. à soupe) du mélange de vermicelles. Placer un bâtonnet de tofu au centre. Plier chaque extrémité sur la garniture et rouler délicatement mais fermement. Procéder ainsi jusqu'à épuisement de la garniture pour obtenir 7 rouleaux.

Servir avec de la sauce soja ou une petite sauce express composée du jus d'une lime mélangé à 15 ml (1 c. à soupe) de sauce soja, quelques gouttes d'huile de sésame et quelques flocons de piment. La sauce nuoc-mâm convient aussi.

Variantes

Remplacer les bâtonnets de tofu par des crevettes cuites.

Utiliser des galettes de riz de 15 cm (6 po) de diamètre pour obtenir une plus grande quantité de plus petits rouleaux.

Ajouter des fines herbes fraîches comme de la menthe ou de la coriandre.

Trucs

La préparation de tofu mariné et la garniture aux vermicelles peuvent se faire la veille.

On peut facilement doubler la recette. Les rouleaux se conservent jusqu'à deux jours au réfrigérateur.

Par rouleau

Calories 108
Glucides 19 g
Protéines 3,8 g
Fibres alimentaires 1,2 g
Matières grasses 2,0 g
Sodium 138 mg

Excellente source
de vitamine A
Bonne source de fer
Source de calcium
et de magnésium

Rouleaux de printemps

Burritos de Juanita

Un souper rapide à préparer, hyper nutritif et qui plaira à toute la tablée puisque chacun choisira ses garnitures.

PRÉPARATION : 15 MIN		CUISSON : 15 MIN	**18 BURRITOS**

10 ml	huile	2 c. à thé
1	gros oignon haché	1
3	gousses d'ail hachées	3
500 g	bœuf haché extra-maigre	1 lb
10 ml	cumin	2 c. à thé
10 ml	chili en poudre	2 c. à thé
10 ml	origan	2 c. à thé
250 ml	légumineuses cuites, en purée	1 tasse
1	boîte (213 ml/7,5 oz) de sauce tomate	1
	jus d'une demi-lime	
18	tortillas de 20 cm (8 po) de diamètre	18

Garnitures

bâtonnets de poivron rouge

fromage râpé

crème sure

dés d'avocat

salsa à la lime (voir p. 60)

Dans un grand poêlon, chauffer l'huile à feu moyen-élevé. Faire revenir l'oignon et l'ail jusqu'à ce que l'oignon soit attendri. Ajouter le bœuf haché, le cumin, le chili en poudre et l'origan. Cuire 5 min ou jusqu'à ce que la viande soit brunie.

Incorporer les légumineuses et la sauce tomate. Laisser mijoter 10 min en brassant de temps en temps. Retirer du feu et incorporer le jus de lime.

Étendre 45 ml (3 c. à soupe) de préparation à la viande chaude au centre de chaque tortilla et garnir. Replier une des extrémités, rouler et déguster.

Trucs

La préparation à la viande cuite se conserve 2 jours au réfrigérateur. On peut aussi la congeler.

Les légumineuses se congèlent sans problème pendant 3 mois.

La veille, on peut préparer les burritos garnis, les enrouler dans du papier essuie-tout et les réfrigérer. Pour réchauffer au micro-ondes, calculer 30 s à puissance maximale par burrito.

Par burrito (sans garniture)

Calories 121
Glucides 17 g
Protéines 6,5 g
Fibres alimentaires 1,8 mg
Matières grasses 3,2 g
Sodium 135 mg

Bonne source de vitamine B_{12} et de fer
Source de vitamine C, d'acide folique, de calcium et de magnésium

Crêpes de Pedro

12 mois et plus • Se congèle

Ces crêpes au maïs et au thon seront délicieuses avec la salsa à la lime (voir p. 60).

PRÉPARATION : 15 MIN	CUISSON : 15 MIN	10 CRÊPES

Variante

Omettre le thon et servir ces crêpes avec des tranches de jambon ou des blancs de poulet.

Truc

Utiliser un four grille-pain pour réchauffer les crêpes.

Par crêpe

Calories 121
Glucides 16 g
Protéines 8,6 g
Fibres alimentaires 0,8 g
Matières grasses 2,5 g
Sodium 121 mg

Excellente source de vitamine B_{12}
Source d'acide folique, de magnésium et de fer

Dans un bol, mélanger la farine, la poudre à pâte, le sel et le chili en poudre. Faire un puits au centre du mélange. Dans un bol plus petit, battre les œufs. Incorporer le lait, le persil, le maïs, le thon et la moutarde forte. Incorporer graduellement ce mélange aux ingrédients secs (ne pas s'inquiéter s'il reste quelques grumeaux).

Dans un poêlon antiadhésif, chauffer l'huile à feu moyen-élevé. Y déposer environ 45 ml (3 c. à soupe) de pâte en formant un cercle d'environ 12 cm (5 po) de diamètre.

Cuire 3 à 4 min ou jusqu'à ce que des bulles apparaissent à la surface et que le dessous de la crêpe soit doré. Retourner la crêpe et cuire encore 3 à 4 min ou jusqu'à ce que le dessous soit légèrement bruni.

Réserver au chaud. Servir avec une salade d'épinards ou des crudités.

300 ml	farine	1 1/4 tasse
5 ml	poudre à pâte	1 c. à thé
1 ml	sel	1/4 c. à thé
3 ml	chili en poudre	3/4 c. à thé
2	œufs	2
150 ml	lait	2/3 tasse
15 ml	persil haché	1 c. à soupe
1	boîte (199 ml/7 oz) de maïs en grains, égoutté	1
1	boîte (170 g/6 oz) de thon émietté, égoutté	1
5 ml	moutarde forte	1 c. à thé
10 ml	huile	2 c. à thé

Pilons de poulet pas mal collants

Bon à s'en lécher les doigts!

PRÉPARATION: 15 MIN	ATTENTE: 2 H	CUISSON: 50 MIN	6 PORTIONS

125 ml	jus d'orange concentré dégelé, non dilué	1/2 tasse
45 ml	marmelade d'orange	3 c. à soupe
45 ml	sauce soja allégée en sel	3 c. à soupe
45 ml	miel	3 c. à soupe
1	gousse d'ail hachée	1
12	pilons de poulet, sans la peau	12

Mélanger tous les ingrédients, sauf le poulet. Verser dans un sac refermable et y déposer le poulet. Laisser mariner au moins 2 h ou toute la nuit.

Déposer les pilons sur une plaque recouverte de papier parchemin. Verser ce qui reste de la marinade dans un petit chaudron.

Cuire à 200 °C (400 °F) 50 min en badigeonnant de la marinade à quelques reprises vers la fin de la cuisson.

Faire bouillir la marinade 5 min puis laisser mijoter doucement durant toute la cuisson des pilons. La réduction de la marinade pourra servir de trempette lors du repas.

Servir avec du riz blanc et des bouquets de brocoli vapeur.

Trucs

On peut préparer la marinade quelques jours à l'avance.

Avant de servir une marinade dans laquelle une viande crue a mariné, la faire bouillir pendant au moins 1 min. Les bactéries potentiellement présentes ne pourront pas tenir le coup!

Le fait d'utiliser du papier parchemin, plutôt que du papier d'aluminium (les aliments y collent) ou qu'une plaque huilée (la plaque sera bien trop collée), vous épargnera bien des désagréments.

Pour 2 pilons

Calories 240
Glucides 23 g
Protéines 23 g
Fibres alimentaires 0,2 g
Matières grasses 6,0 g
Sodium 344 mg

Excellente source de vitamine C
Bonne source d'acide folique et de vitamine B$_{12}$
Source de magnésium et de fer

Pilon de poulet pas mal collant

Baguette farcie au poulet

Une baguette qui peut aussi se transformer en petits bateaux, si on utilise des petits pains.

PRÉPARATION : 15 MIN	CUISSON : 5 MIN	12 TRANCHES

1	baguette de pain de 30 cm (12 po) de long	1
500 ml	poulet cuit haché grossièrement	2 tasses
125 ml	mozzarella râpée	1/2 tasse
375 ml	brocoli blanchi ou surgelé, haché	1 1/2 tasse
60 ml	mayonnaise	4 c. à soupe
10 ml	moutarde forte	2 c. à thé

Préchauffer le four à 200 °C (400 °F).

Couper la baguette de pain en deux dans le sens de la longueur, retirer un peu de mie de pain (la donner à vos oisillons !).

Dans un bol, mélanger le poulet, la mozzarella, le brocoli, la mayonnaise et la moutarde forte. Remplir les demi-baguettes du mélange.

Refermer la baguette et l'envelopper de papier d'aluminium. Réchauffer au four 5 min. Découper en tranches de 2 cm (1 po) d'épaisseur et servir chaud, tiède ou froid.

Variantes

Farcir 6 demi-tomates évidées avec le mélange de poulet. Saupoudrer de parmesan et cuire au four 20 min ou jusqu'à ce que le dessus soit doré.

Utiliser la préparation au poulet pour préparer des sandwichs « ordinaires ».

Info nutritionnelle

Les légumes surgelés tels que le brocoli méritent une place de choix sur nos tables. Ils sont cueillis à pleine maturité au moment où ils débordent de saveur et de valeur nutritive. Quelques heures suivant leur récolte, ils sont blanchis à la vapeur sans ajout de sel, de colorant ou d'autres additifs puis surgelés pour ainsi sceller leur fraîcheur pendant plusieurs mois. De plus, puisqu'on n'utilise que la quantité nécessaire, fini le gaspillage !

Par tranche

Calories 225
Glucides 20 g
Protéines 22 g
Fibres alimentaires 1,0 g
Matières grasses 5,9 g
Sodium 331 mg

Source de vitamine A, de vitamine C, d'acide folique, de vitamine B_{12}, de calcium, de magnésium et de fer

Minipizzas sourire

Des pizzas au « regard » invitant !

PRÉPARATION : 10 MIN　　　**CUISSON : 10 MIN**　　　**8 MINIPIZZAS**

Variante
Remplacer le thon par du pepperoni végétarien.

Info nutritionnelle
Pour limiter l'apport en mercure, il est recommandé aux enfants pesant moins de 12 kg (25 lb) de ne pas manger plus de 75 g (2 1/2 oz) de thon par mois (soit un sandwich typique). Les enfants de 12 à 22 kg (25 à 45 lb), pas plus de 150 g (5 oz) par mois (soit deux sandwichs typiques). Et l'augmentation va ainsi : 75 g (2 1/2 oz) pour chaque gain de poids de 7 kg (15 lb) au-dessus de 22 kg (45 lb)… jusqu'à un maximum de 210 g (7 oz) par semaine à l'âge adulte.

Par minipizza
Calories 192
Glucides 27 g
Protéines 13 g
Fibres alimentaires 0,5 g
Matières grasses 3,4 g
Sodium 288 mg

Excellente source de vitamine B$_{12}$
Source de vitamine C, d'acide folique, de calcium, de magnésium et de fer

Préchauffer le four à 200 °C (400 °F).

Déposer les minipitas sur une plaque à biscuits. Tartiner chacune d'environ 15 ml (1 c. à soupe) de sauce à pizza. Répartir le thon, puis le fromage râpé.

Décorer avec les champignons et le poivron de façon à créer des visages.

Cuire au four préchauffé 10 min ou jusqu'à ce que le fromage soit fondu.

8	minipitas de 10 cm (4 po) de diamètre	8
1/2	boîte (213 ml/7 1/2 oz) de sauce à pizza	1/2
1	boîte (170 g/6 oz) de thon émietté	1
250 ml	fromage râpé	1 tasse
	quelques champignons en tranches	
	quelques lanières de poivron	

Fish'n chips

Un grand classique qui remporte la palme haut la main sur ses concurrents du commerce, tant pour sa saveur que sa valeur nutritive.

3	pommes de terre bien lavées	3
1	patate douce pelée	1
30 ml	huile	2 c. à soupe
5 ml	herbes de Provence	1 c. à thé
15 ml	moutarde forte	1 c. à soupe
45 ml	eau	3 c. à soupe
50 ml	chapelure	1/4 tasse
50 ml	germe de blé ou semoule de maïs	1/4 tasse
10 ml	persil séché	2 c. à thé
400 g	filets de poisson	13 oz
15 ml	huile	1 c. à soupe

Préchauffer le four à 200 °C (400 °F).

Couper les pommes de terre et la patate douce en bâtonnets de 1 cm (1/2 po). Les mettre dans un bol et les enrober de 30 ml (2 c. à soupe) d'huile et des herbes de Provence. Déposer uniformément sur une plaque de cuisson et cuire au four préchauffé 45 min ou jusqu'à ce qu'elles soient croustillantes. Les tourner à mi-cuisson.

Mélanger la moutarde forte et l'eau. Réserver. Mélanger la chapelure avec le germe de blé et le persil. Tremper les filets de poisson dans le mélange de moutarde puis dans la chapelure.

Dans un poêlon, chauffer 10 ml (2 c. à thé) d'huile à feu moyen, y faire revenir les filets de poisson environ 4 min de chaque côté. Servir avec les frites.

Variante
Préparer des bâtonnets de carottes ou des bouchées de chou-fleur ou de brocoli de la même manière que les pommes de terre.

Truc
Préparer les pommes de terre la veille et les réchauffer au four durant la préparation du poisson.

Par portion
Calories 280
Glucides 35 g
Protéines 17 g
Fibres alimentaires 4,1 g
Matières grasses 8,3 g
Sodium 123 mg

Excellente source de vitamine A, de vitamine B_{12} et de magnésium
Bonne source de vitamine C, d'acide folique, de fer et de fibres
Source de calcium

Fish'n chips

Croquettes de saumon

Des croquettes tendres à souhait que l'on peut métamorphoser en rondins, en boulettes, en galettes, alouette!

PRÉPARATION : 10 MIN	CUISSON : 10 MIN	16 CROQUETTES

2	boîtes (213 g/7 1/2 oz) de saumon, égoutté	2
1	pomme de terre cuite, en purée	1
1	œuf	1
50 ml	carotte râpée finement	1/4 tasse
50 ml	fromage râpé finement	1/4 tasse
45 ml	ciboulette ou persil haché	3 c. à soupe
	ou 15 ml (1 c. à soupe) de ciboulette séchée	
75 ml	farine	1/3 tasse
30 ml	huile	2 c. à soupe

Mélanger le saumon, la pomme de terre, l'œuf, la carotte, le fromage et la ciboulette jusqu'à homogénéité.

Façonner 16 croquettes de la grosseur d'une balle de golf. Les rouler dans la farine et les aplatir légèrement.

Chauffer l'huile dans un poêlon et y faire revenir les croquettes 3 min de chaque côté ou jusqu'à ce qu'elles soient dorées.

Servir les croquettes accompagnées de haricots verts et de sauce tartare.

Variante

On peut évidemment préparer ces croquettes à partir de saumon frais, cuit et émietté.

Saviez-vous que...

Le saumon sockeye possède une chair rouge, ferme et très savoureuse. Son goût est beaucoup plus prononcé que celui du saumon de l'Atlantique ou que le saumon keta.

Pour 2 croquettes

Calories 126
Glucides 5,5 g
Protéines 13 g
Fibres alimentaires 0,4 g
Matières grasses 5,9 g
Sodium 63 mg

Excellente source de vitamine B_{12}
Source de vitamine A, de vitamine C, de magnésium et de fer

Saumon en casserole

La version réinventée d'un classique : les nouilles aux œufs en casserole.

PRÉPARATION : 10 MIN	CUISSON : 15 MIN	10 PORTIONS DE 250 ML (1 TASSE)

Variante

Intégrer le hachis de légumes préparé au robot culinaire à une sauce blanche ou rosée et servir sur des pâtes.

Info nutritionnelle

Les fèves de soja rôties ne sont pas des noix, bien qu'elles en aient l'apparence et la texture. Il s'agit bel et bien d'une légumineuse.

Par portion

Calories 308
Glucides 38 g
Protéines 18 g
Fibres alimentaires 2,8 g
Matières grasses 10 g
Sodium 219 mg

Excellente source d'acide folique, de vitamine B_{12} et de magnésium
Bonne source de calcium et de fer
Source de vitamine A, de vitamine C et de fibres

Préchauffer le four à 180 °C (350 °F).

Dans un poêlon antiadhésif, chauffer les pignons à feu moyen 5 min ou jusqu'à ce qu'ils soient odorants et dorés. Réserver.

Faire tremper les tomates séchées dans de l'eau bouillante 10 min pour les réhydrater. Égoutter. Cuire les pâtes à l'eau bouillante salée jusqu'à ce qu'elles soient *al dente*, égoutter et réserver.

Pendant ce temps, à l'aide d'un robot culinaire, hacher finement l'oignon, le céleri, l'ail, les champignons et les tomates séchées.

Dans une casserole, chauffer l'huile à feu moyen-élevé. Y faire revenir les légumes hachés 10 min ou jusqu'à ce qu'il n'y ait presque plus de liquide. Saupoudrer de la farine et cuire 1 min en brassant. Ajouter le lait chaud graduellement et brasser continuellement jusqu'à épaississement. Incorporer le saumon, les pâtes cuites, le fromage et le persil.

Déposer dans un plat allant au four de 23 x 33 cm (9 x 13 po). Saupoudrer des pignons grillés. Cuire au four préchauffé 20 min ou jusqu'à ce que la préparation bouillonne.

75 ml	pignons (ou noix de soja ou graines de tournesol)	1/3 tasse
8	tomates séchées (non dans l'huile)	8
375 g	nouilles aux œufs moyennes	3/4 lb
1	oignon en quartiers	1
1	branche de céleri en tronçons	1
1	gousse d'ail	1
1	boîte (284 ml/10 oz) de champignons en tranches, égouttés	1
10 ml	huile	2 c. à thé
30 ml	farine	2 c. à soupe
1 l	lait chaud	4 tasses
1	boîte (213 g/7 1/2 oz) de saumon, égoutté	1
250 ml	gruyère ou cheddar fort râpé	1 tasse
30 ml	persil haché	2 c. à soupe

Gratin au jambon à la Popeye

... ou comment vendre l'idée que les épinards, ça rend fort et surtout, c'est drôlement bon!

PRÉPARATION : 15 MIN	CUISSON : 20 MIN	8 PORTIONS DE 200 ML (3/4 TASSE)

5 ml	huile	1 c. à thé
1	oignon haché	1
150 g	épinards hachés surgelés	5 oz
375 ml	pain frais en dés	1 1/2 tasse
500 ml	jambon cuit en dés	2 tasses
75 ml	fromage en dés	1/3 tasse
3	œufs	3
300 ml	lait	1 1/4 tasse
	parmesan râpé (facultatif)	

Préchauffer le four à 180 °C (350 °F).

Huiler un plat allant au four de 20 x 28 cm (8 x 11 po). Dans un poêlon, chauffer l'huile à feu moyen. Ajouter l'oignon et les épinards. Couvrir et cuire 10 min ou jusqu'à ce que les épinards soient dégelés. Découvrir et poursuivre la cuisson 5 min ou jusqu'à ce que les oignons soient tendres.

Déposer les épinards dans le plat de cuisson, ajouter les dés de pain, de jambon et de fromage et bien mélanger.

Battre les œufs et le lait et incorporer à la préparation au jambon. Couvrir et cuire au four 15 min. Découvrir, saupoudrer de parmesan, si désiré, et cuire encore 5 min.
Servir avec des rondelles de carottes cuites.

Variante

Mettre la préparation dans des plats individuels; le temps de cuisson sera alors d'environ 10 min.

Trucs

On peut faire la préparation la veille.

Le pain gardé au frigo devient rassis plus rapidement qu'à température ambiante. Il est préférable de le mettre au congélateur pour lui conserver toute sa fraîcheur.

Par portion

Calories 161
Glucides 11 g
Protéines 13 g
Fibres alimentaires 1,5 g
Matières grasses 7,3 g
Sodium 553 mg

Excellente source de vitamine B_{12}
Bonne source de vitamine A et d'acide folique
Source de vitamine C, de calcium, de magnésium et de fer

Gratin au jambon à la Popeye

Croquettes végétariennes

Légumineuses nouveau genre!

PRÉPARATION : 15 MIN		CUISSON : 15 MIN		10 CROQUETTES
5 ml	huile	1 c. à thé		
1	gros oignon haché	1		
500 ml	de champignons en tranches	2 tasses		
2 ml	thym séché	1/2 c. à thé		
250 ml	légumineuses cuites (au choix)	1 tasse		
125 ml	chapelure	1/2 tasse		
75 ml	germe de blé	1/3 tasse		
175 ml	fromage râpé	2/3 tasse		
15 ml	sauce Worcestershire	1 c. à soupe		
15 ml	fécule de maïs	1 c. à soupe		
5 ml	moutarde forte	1 c. à thé		
1	œuf	1		
125 ml	chapelure	1/2 tasse		
15 ml	huile	1 c. à soupe		

Dans un poêlon, chauffer 5 ml (1 c. à thé) de l'huile à feu moyen et cuire l'oignon, les champignons et le thym 10 min ou jusqu'à ce que les légumes soient cuits.

Hacher finement au robot culinaire. Incorporer le reste des ingrédients, sauf la chapelure et l'huile au robot culinaire.

Façonner 10 croquettes et rouler dans la chapelure. Chauffer 15 ml (1 c. à soupe) d'huile dans un grand poêlon et y faire revenir les croquettes 3 min de chaque côté.

Servir chaud ou tiède.

Trucs

On peut préparer le mélange à croquettes la veille. Ou façonner les croquettes et les congeler pour les cuire ultérieurement.

Les légumineuses cuites se conservent quelques jours seulement au réfrigérateur mais se congèlent facilement et se conservent alors jusqu'à 8 mois.

Info nutritionnelle

Le germe de blé est l'embryon du grain de blé, sa partie la plus riche en éléments nutritifs. Il contient des vitamines B et E, du fer, du magnésium et du zinc. En raison de sa teneur élevée en huile, une fois le contenant ouvert, il vaut mieux le conserver au réfrigérateur pour prévenir son rancissement.

Par croquette

Calories 149
Glucides 18 g
Protéines 7,3 g
Fibres alimentaires 2,4 g
Matières grasses 5,9 g
Sodium 176 mg

Excellente source d'acide folique
Bonne source de fer
Source de vitamine B_{12}, de calcium, de magnésium et de fibres

Pain de lentilles

12 mois et plus · Se congèle

Tendre et moelleux, ce pain de lentilles sera délicieux avec les paillassons de légumes (voir p. 56).

PRÉPARATION : 10 MIN	**CUISSON : 45 MIN**	**10 TRANCHES**

Info nutritionnelle

Une quantité de 250 ml (1 tasse) de légumineuses cuites, comme les lentilles, fournit autant de protéines que 60 g (2 oz) de viande, de volaille ou de poisson ainsi que 3 fois plus de fer qu'une portion de bœuf.

Une quantité de 250 ml (1 tasse) de légumineuses fournit autant de fibres que 4 à 5 tranches de pain de grains entiers.

Par tranche

Calories 150
Glucides 15 g
Protéines 9,5 g
Fibres alimentaires 3,3 g
Matières grasses 6,3 g
Sodium 90 mg

Excellente source de vitamine A et d'acide folique
Bonne source de magnésium et de fer
Source de vitamine C, de vitamine B_{12}, de calcium et de fibres

Préchauffer le four à 350 °C (180 °F).

Au robot culinaire, hacher finement l'oignon, l'ail et les champignons. Dans un poêlon, chauffer l'huile à feu moyen-élevé. Cuire les légumes hachés et la carotte râpée jusqu'à ce qu'ils soient tendres.

Déposer dans un bol, incorporer le reste des ingrédients. Huiler un moule à pain de 28 x 10 cm (11 x 4 po) et y étendre la préparation aux lentilles.

Cuire au four 45 min ou jusqu'à ce que le tout soit légèrement doré.

1	oignon	1
1	gousse d'ail	1
8	champignons	8
10 ml	huile	2 c. à thé
1	carotte râpée	1
1	boîte (540 ml/19 oz) de lentilles, rincées et égouttées	1
250 ml	fromage râpé	1 tasse
125 ml	germe de blé	1/2 tasse
1	œuf	1
15 ml	persil haché	1 c. à soupe
2 ml	thym séché	1/2 c. à thé
45 ml	lait	3 c. à soupe

Sauce à spaghetti végétarienne

Une façon « discrète » de servir des légumineuses et des légumes pour les plus récalcitrants !

PRÉPARATION : 15 MIN	CUISSON : 1 H 15 MIN	24 PORTIONS DE 125 ML (1/2 TASSE)

10 ml	huile	2 c. à thé
1	gros oignon haché	1
2	gousses d'ail hachées	2
500 ml	champignons en tranches	2 tasses
2	courgettes en dés	2
3	carottes en dés	3
2	boîtes (796 ml/28 oz) de tomates en dés	2
1	boîte (540 ml/19 oz) de lentilles rincées et égouttées, en purée	1
10 ml	basilic séché	2 c. à thé
10 ml	origan séché	2 c. à thé
15 ml	sauce Worcestershire	1 c. à soupe
1 ml	sauce Tabasco	1/4 c. à thé
1	feuille de laurier	1

Dans un poêlon, chauffer l'huile à feu moyen. Ajouter l'oignon, l'ail, les champignons, les courgettes et les carottes et cuire 15 min ou jusqu'à ce que l'oignon soit cuit.

Ajouter les tomates, les légumineuses et les assaisonnements et laisser mijoter 1 h.

Si on le souhaite, réduire en purée. Servir sur des pâtes.

Truc
Omettre les sauces Worcestershire et Tabasco si on prévoit offrir cette sauce à un enfant âgé de 9 à 12 mois.

Info nutritionnelle
La combinaison gagnante pour une bonne source de protéines : la sauce à spaghetti végétarienne et des pâtes alimentaires enrichies.

Les pâtes alimentaires ayant la mention « enrichies » sur l'étiquette ont été additionnées de fer et de quatre vitamines B (acide folique, thiamine, riboflavine et niacine). C'est l'option de choix pour les inconditionnels des pâtes blanches.

Par portion
Calories 49
Glucides 8,9 g
Protéines 2,8 g
Fibres alimentaires 2,1 g
Matières grasses 0,7 g
Sodium 122 mg

Excellente source
de vitamine A
Bonne source d'acide folique
Source de vitamine C,
de magnésium, de fer
et de fibres

La sauce à spaghetti végétarienne telle quelle ou en purée

Coquettes coquillettes

Des pâtes, encore des pâtes! Un favori des enfants, petits et grands.

PRÉPARATION : 10 MIN		CUISSON : 30 MIN	10 PORTIONS DE 250 ML (1 TASSE)

750 ml	petites coquilles	3 tasses
15 ml	huile	1 c. à soupe
1	petit oignon haché	1
1	courgette râpée	1
500 g	poulet haché	1 lb
1	boîte (540 ml/19 oz) de tomates en dés	1
1	boîte (398 ml/14 oz) de sauce tomate	1
30 ml	pesto	2 c. à soupe
500 ml	mozzarella râpée	2 tasses
50 ml	parmesan	1/4 tasse

Préchauffer le four à 200 °C (400 °F).

Cuire les pâtes à l'eau bouillante salée jusqu'à ce qu'elles soient *al dente*. Pendant ce temps, dans un poêlon, chauffer l'huile à feu moyen. Ajouter l'oignon et la courgette et cuire 5 min ou jusqu'à ce que l'oignon soit tendre.

Ajouter le poulet et cuire jusqu'à ce que la chair ne soit plus rosée. Incorporer les tomates, la sauce tomate et le pesto et laisser mijoter 15 min ou jusqu'à épaississement.

Incorporer aux pâtes cuites. Verser la moitié dans un plat de cuisson allant au four de 23 x 33 cm (9 x 13 po). Parsemer de la moitié de la mozzarella râpée. Déposer le reste des pâtes, le reste de la mozzarella et saupoudrer du parmesan.

Cuire au four préchauffé 10 min ou jusqu'à ce que le mélange bouillonne.

Variante

Utiliser un fromage de saveur plus ou moins prononcée (ricotta, cheddar, suisse ou gorgonzola), selon le goût de vos petits convives.

Info nutritionnelle

Les pâtes alimentaires de blé entier renferment presque 3 fois plus de fibres que les pâtes blanches.

Par portion

Calories 320
Glucides 33 g
Protéines 20 g
Fibres alimentaires 3,1 g
Matières grasses 12 g
Sodium 525 mg

Bonne source de calcium, de magnésium et de fer
Source de vitamine A, de vitamine C, d'acide folique, de vitamine B_{12} et de fibres

Cannelloni de Florence

Un grand classique dans la famille d'Isabelle!

PRÉPARATION : 30 MIN	CUISSON : 30 MIN	10 PORTIONS

Truc

Préparer la sauce tomate et le mélange de viande la veille. Ou plusieurs jours à l'avance et congeler.

Pour 2 cannelloni

Calories 286
Glucides 32 g
Protéines 17 g
Fibres alimentaires 4,0 g
Matières grasses 10 g
Sodium 581 mg

Excellente source de vitamine A, d'acide folique, de vitamine B_{12}, de magnésium et de fer
Bonne source de vitamine C, de calcium et de fibres

Dans une casserole, chauffer 10 ml (2 c. à thé) d'huile à feu moyen-élevé. Y faire revenir l'oignon et l'ail 5 min. Ajouter les tomates, la sauce tomate, la pâte de tomate, l'origan et le sucre. Laisser mijoter 30 min.

Pendant ce temps, dans un poêlon, chauffer le reste de l'huile à feu moyen-élevé. Y faire revenir l'oignon et l'ail 5 min. Ajouter les épinards et la viande et cuire 15 min ou jusqu'à ce que le liquide soit évaporé et que la viande ne soit plus rosée.

Transférer dans un bol en verre ou en métal et incorporer le parmesan, l'œuf et l'origan. Laisser refroidir quelque peu. Farcir chaque cannelloni de la préparation à la viande.

Couvrir le fond d'un plat de cuisson allant au four de 23 x 33 cm (9 x 13 po) de sauce tomate. Y déposer les cannelloni farcis. Mélanger la crème de champignons et le lait et verser sur les cannelloni. Verser le reste de la sauce tomate sur le tout.

Saupoudrer du parmesan et cuire au four à 190 °C (375 °F) 30 min.

20 ml	huile	4 c. à thé
1	oignon haché	1
1	gousse d'ail hachée	1
1	boîte (796 ml/28 oz) de tomates en dés	1
1	boîte (213 ml/7,5 oz) de sauce tomate	1
1	boîte (156 ml/5,5 oz) de pâte de tomate	1
5 ml	origan séché	1 c. à thé
15 ml	sucre	1 c. à soupe
1	oignon haché	1
1	gousse d'ail hachée	1
1	boîte (385 ml/14 oz) d'épinards, égouttés	1
500 g	bœuf haché maigre	1 lb
75 ml	parmesan râpé	1/3 tasse
1	œuf	1
2 ml	origan	1/2 c. à thé
20	cannelloni précuits	20
1	boîte (213 ml/10 oz) de crème de champignons condensée	1
75 ml	lait	1/3 tasse
30 ml	parmesan râpé	2 c. à soupe

Méli-mélo de quinoa

12 mois et plus

Riche en vitamines, en minéraux et en fibres, le quinoa est également une céréale riche en protéines.

PRÉPARATION : 10 MIN		CUISSON : 15 MIN	5 PORTIONS DE 200 ML (3/4 TASSE)
250 ml	quinoa	1 tasse	
375 ml	bouillon de légumes ou de poulet	1 1/2 tasse	
250 ml	concombre pelé en dés	1 tasse	
1	boîte (284 ml/10 oz) de mandarines, égouttées	1	
250 ml	dés de poulet cuit	1 tasse	
30 ml	persil haché	2 c. à soupe	
30 ml	ciboulette hachée	2 c. à soupe	
30 ml	vinaigre de vin rouge	2 c. à soupe	
1 ml	sel	1/4 c. à thé	
5 ml	moutarde forte	1 c. à thé	
5 ml	sucre	1 c. à thé	
30 ml	huile	2 c. à soupe	

Mettre le quinoa dans un tamis fin et rincer sous l'eau froide courante pendant 3 min ou jusqu'à ce qu'il n'y ait plus formation de mousse. Dans une casserole, porter le quinoa et le bouillon à ébullition. Baisser le feu, couvrir et laisser mijoter 15 min ou jusqu'à ce que le bouillon soit absorbé et le quinoa transparent. Laisser refroidir.

Dans un saladier, déposer le concombre, les mandarines, le poulet et les fines herbes.

Dans un petit bol, mélanger le vinaigre, le sel, la moutarde et le sucre. Incorporer l'huile en fouettant. Verser sur la salade, ajouter le quinoa et bien mélanger.

Variante

Préparer cette salade avec du couscous ou du boulghour en utilisant les mêmes proportions de liquide et de céréale.

Truc

Le fait de rincer le quinoa sous l'eau froide enlève la saponine, une substance qui mousse au contact de l'eau et donnerait un goût amer à la céréale. On le rince jusqu'à ce que l'eau ne mousse plus.

Info nutritionnelle

Le quinoa était un aliment sacré par les Incas, qui l'appelaient le «grain mère». Il contient plus de protéines que la plupart des céréales et est une excellente source de magnésium et de fer.

Par portion

Calories 316
Glucides 28 g
Protéines 26 g
Fibres alimentaires 2,4 g
Matières grasses 11 g
Sodium 393 mg

Excellente source de magnésium et de fer
Bonne source de vitamine B$_{12}$
Source de vitamine C, d'acide folique et de fibres

Méli-mélo de quinoa

Pâté aux épinards et au millet

Ce pâté sera apprécié de tous... avec ou sans ketchup !

PRÉPARATION : 30 MIN		**CUISSON : 30 MIN**		**2 PÂTÉS DE 6 PORTIONS**

15 ml	huile	1 c. à soupe
1	gros oignon haché	1
125 ml	millet non cuit	1/2 tasse
1	gousse d'ail hachée	1
1	paquet (300 g/10 oz) d'épinards surgelés hachés, dégelés et bien essorés	1
1	boîte (284 ml/10 oz) de bouillon de bœuf condensé plus une boîte d'eau	1
500 g	bœuf haché maigre	1 lb
10 ml	herbes de Provence	2 c. à thé
	poivre	
2	fonds de tarte de 23 cm (9 po), non cuits	2
30 ml	parmesan râpé	2 c. à soupe
250 ml	cheddar râpé	1 tasse

Préchauffer le four à 190 °C (375 °F).

Dans un grand poêlon, chauffer l'huile à feu moyen. Cuire l'oignon 5 min ou jusqu'à ce qu'il soit transparent. Ajouter le millet et l'ail et laisser griller 2 min pour bien enrober le millet d'huile.

Incorporer les épinards, le bouillon, l'eau, le bœuf haché, les herbes de Provence et le poivre. Couvrir et laisser mijoter 20 min ou jusqu'à ce que le millet soit cuit. Le mélange restera quelque peu humide.

Répartir également dans les fonds de tarte. Saupoudrer chaque pâté du parmesan et du cheddar.

Cuire au four 30 min. Servir.

Truc

On peut congeler les pâtés une fois cuits. Pour servir, il suffit alors de les couvrir et de les réchauffer au four à 190 °C (375 °F) pendant 15 min.

Info nutritionnelle

Déjà tout nettoyés, les épinards surgelés conservent une bonne part des nutriments présents dans les épinards frais : acide folique, fer, calcium, vitamine C et autres.

Par portion

Calories 334
Glucides 26 g
Protéines 15 g
Fibres alimentaires 2,7 g
Matières grasses 19 g
Sodium 484 mg

Excellente source de vitamine B_{12}
Bonne source de vitamine A, d'acide folique, de magnésium et de fer
Source de vitamine C, de calcium et de fibres

Riz frit au tofu

« Encore s'il te plaît, m'man... »

| PRÉPARATION: 15 MIN | CUISSON: 20 MIN | 6 PORTIONS DE 250 ML (1 TASSE) |

Variante

Remplacer le tofu par 500 ml (2 tasses) de poulet cuit en dés.

Truc

Pour accélérer la préparation de ce plat, utiliser environ 500 ml (2 tasses) de légumes surgelés. Ces légumes se préparent en un tournemain car ils sont déjà lavés, parés et coupés. De plus, il existe sur le marché des mélanges oriental, thaïlandais ou encore californien.

Par portion

Calories 207
Glucides 30 g
Protéines 11 g
Fibres alimentaires 2,0 g
Matières grasses 5,5 g
Sodium 303 mg

Excellente source de vitamine A, de calcium et de fer
Bonne source de vitamine C, d'acide folique et de magnésium
Source de fibres

Mélanger le jus de citron, la sauce soja, l'ail, l'huile de sésame et les flocons de piment. Y laisser mariner le tofu.

Pendant ce temps, dans une casserole, mélanger le riz, l'eau et le sel et porter à ébullition. Mélanger, couvrir et laisser mijoter à feu moyen-doux 15 min. Retirer du feu et laisser reposer, à couvert, 5 min ou jusqu'à ce que l'eau soit absorbée.

Dans un poêlon, chauffer l'huile à feu moyen. Ajouter les oignons verts, la courgette, la carotte et le brocoli. Couvrir et cuire 10 min ou jusqu'à ce que les légumes soient attendris.

Découvrir, ajouter les champignons et le tofu (avec la marinade) et poursuivre la cuisson 5 min. Incorporer le riz cuit.

Servir chaud avec des maïs miniatures.

	jus d'un demi-citron	
30 ml	sauce soja allégée en sel	2 c. à soupe
1	gousse d'ail écrasée	1
5 ml	huile de sésame	1 c. à thé
	quelques flocons de piment	
250 g	tofu ferme en dés	1/2 lb
250 ml	riz	1 tasse
500 ml	eau	2 tasses
1 ml	sel	1/4 c. à thé
5 ml	huile	1 c. à thé
3	oignons verts hachés	3
1	courgette en dés	1
1	carotte en dés	1
300 ml	brocoli haché grossièrement	1 1/4 tasse
8	champignons en tranches	8

Tofu-sésame, mange-moi!

En faisant mariner les cubes de tofu à l'avance, et en utilisant un mélange de légumes surgelés et des vermicelles de riz comme accompagnement, on passe à table en 15 minutes.

PRÉPARATION : 10 MIN	ATTENTE : 2 H	CUISSON : 10 MIN	8 PORTIONS

30 ml	sauce soja allégée en sel	2 c. à soupe
15 ml	huile	1 c. à soupe
15 ml	sauce hoisin	1 c. à soupe
2	gousses d'ail hachées finement	2
500 g	tofu ferme en cubes de 2,5 cm (1 po)	1 lb
45 ml	graines de sésame	3 c. à soupe
15 ml	farine	1 c. à soupe

Dans un sac hermétique, mélanger la sauce soja, l'huile, la sauce hoisin et les gousses d'ail. Déposer les cubes de tofu et bien mélanger. Laisser mariner au réfrigérateur au moins 2 h ou toute la nuit.

Ajouter les graines de sésame et la farine au contenu du sac et bien mélanger.

Étaler les cubes de tofu sur une plaque à biscuits recouverte de papier parchemin et cuire au four à 200 °C (400 °F) 10 min. Servir avec des légumes surgelés et des vermicelles de riz.

Variante

Pour relever, ajouter des flocons de piment ou du Tabasco à la marinade, ou du cari en même temps que la farine.

Info nutritionnelle

100 g (3 1/2 oz) de tofu contiennent 15 g de protéines, soit autant que dans 55 g (2 oz) de bœuf haché maigre cuit.

Mieux vaut choisir le tofu dont l'étiquette indique qu'il est préparé avec du sulfate de calcium plutôt qu'avec du chlorure de magnésium. Il est plus riche en calcium.

La sauce hoisin, de couleur brun rougeâtre et épaisse, est préparée à partir de haricots de soja fermentés, de piments séchés et d'épices.

Par portion

Calories 128
Glucides 5,5 g
Protéines 10 g
Fibres alimentaires 1,0 g
Matières grasses 8,4 g
Sodium 184 mg

Excellente source de calcium et de fer
Bonne source de magnésium
Source d'acide folique

Tofu-sésame, mange-moi!

Ragoût d'automne

Un plat qui s'adapte facilement à tous les âges!

PRÉPARATION: 20 MIN	CUISSON: 1 H 30	12 PORTIONS

75 ml	farine	1/3 tasse
10 ml	herbes de Provence	2 c. à thé
1 ml	poivre	1/4 c. à thé
1 kg	cubes de bœuf maigre	2 lb
45 ml	huile	3 c. à soupe
1	oignon moyen émincé	1
2	gousses d'ail hachées	2
1	petit panais pelé, en dés	1
2	carottes pelées, en rondelles	2
2	patates douces pelées, en dés	2
4	pommes de terre pelées, en dés	4
1	boîte (284 ml/10 oz) de bouillon de bœuf condensé plus une boîte d'eau	1
1	boîte (540 ml/19 oz) de tomates en dés	1
1	feuille de laurier	1
2 ml	sel	1/2 c. à thé

Préchauffer le four à 180 °C (350 °F).

Mélanger la farine, 5 ml (1 c. à thé) d'herbes de Provence et le poivre. Enrober les cubes de bœuf du mélange. Dans une grande casserole allant au four, à feu vif, faire revenir la viande dans l'huile, une petite quantité à la fois, pour bien la saisir. Mettre la viande de côté

Réduire le feu, ajouter l'oignon et l'ail et faire sauter 3 min ou jusqu'à ce que l'oignon soit transparent. Incorporer le reste des ingrédients. Remettre la viande dans la casserole et bien mélanger.

Couvrir et cuire au four pendant 1 h 30 ou jusqu'à ce que la viande soit tendre et les légumes cuits.

Servir chaud avec un morceau de pain.

Trucs

Selon les capacités de l'enfant, le ragoût peut être servi tel quel, haché grossièrement ou finement, ou encore réduit en purée.

Congeler le surplus du repas en portions individuelles en prévision des journées plus occupées.

Par portion

Calories 288
Glucides 22 g
Protéines 23 g
Fibres alimentaires 3,1 g
Matières grasses 12 g
Sodium 391 mg

Excellente source de vitamine A, de vitamine B_{12} et de fer
Bonne source de vitamine C et de magnésium
Source d'acide folique et de fibres

Super-pain de viande

Le bœuf et le foie en font un vrai supplément de fer. Servir avec la sauce aux légumes (voir p. 59)

PRÉPARATION : 10 MIN	**CUISSON : 1 H**	**12 PORTIONS**

Trucs

La préparation à la viande se conserve 1 journée au réfrigérateur. On peut aussi la congeler pour un usage ultérieur.

À cause du foie, le pain de viande conserve une coloration rosée même lorsqu'il est bien cuit.

Pour un «goût de foie» moins prononcé, préférer le foie de veau au foie de poulet.

Cuisiner le foie rapidement, car il ne se conserve qu'un jour ou deux au réfrigérateur.

Par portion

Calories 137
Glucides 8,8 g
Protéines 13 g
Fibres alimentaires 0,6 g
Matières grasses 5,1 g
Sodium 130 mg

Excellente source de vitamine A, d'acide folique et de vitamine B$_{12}$
Bonne source de fer
Source de vitamine C, de calcium et de magnésium

Préchauffer le four à 190 °C (375 °F).

Dans un grand bol, mélanger le lait évaporé et la pâte de tomate et faire tremper la crème de blé environ 10 min. Huiler un moule à pain de 28 x 10 cm (11 x 4 po). Réserver.

Mettre le foie cru et la gousse d'ail dans la jarre du mélangeur et réduire en purée lisse. Ajouter au mélange de crème de blé. Incorporer le reste des ingrédients et mélanger jusqu'à parfaite homogénéité.

Verser dans le moule préparé. Cuire au four 50 à 60 min ou jusqu'à ce qu'un thermomètre inséré au centre du pain de viande indique 70 °C (160 °F).

Tailler en 12 tranches et servir chaud avec la sauce aux légumes.

1	boîte (160 ml/5 oz) de lait évaporé	1
30 ml	pâte de tomate	2 c. à soupe
125 ml	crème de blé sèche	1/2 tasse
300 g	foie de veau ou de poulet	10 oz
1	gousse d'ail	1
500 g	bœuf haché maigre	1 lb
1	œuf	1
15 ml	persil séché	1 c. à soupe
7 ml	origan	1 1/2 c. à thé
2 ml	sel	1/2 c. à thé

Boulettes aigres-douces

Servir avec du riz pour « récupérer » la sauce !

PRÉPARATION : 20 MIN		**CUISSON : 30 MIN**
500 g	bœuf haché maigre	1 lb
50 ml	crème de blé non préparée	1/4 tasse
30 ml	sauce chili	2 c. à soupe
1	œuf	1
2	oignons verts hachés finement	2
125 ml	graines de sésame	1/2 tasse
125 ml	cassonade légèrement tassée	1/2 tasse
45 ml	farine	3 c. à soupe
375 ml	eau	1 1/2 tasse
50 ml	vinaigre blanc ou jus de citron	1/4 tasse
30 ml	sauce soja allégée en sel	2 c. à soupe
5 ml	gingembre moulu	1 c. à thé

8 PORTIONS

Préchauffer le four à 200 °C (400°F).

Mélanger le bœuf haché, la crème de blé, la sauce chili, l'œuf et les oignons verts. Façonner 24 boulettes d'environ 3 cm (1 1/4 po) de diamètre. Rouler dans les graines de sésame.

Déposer en une seule couche dans un plat allant au four de 23 x 33 cm (9 x 13 po). Cuire au four 25 min ou jusqu'à ce que les boulettes ne soient plus rosées à l'intérieur.

Dans un grand poêlon, à feu moyen, chauffer la cassonade, la farine, l'eau, le vinaigre blanc, la sauce soja et le gingembre environ 5 min ou jusqu'à ce que le mélange soit lisse. Ajouter les boulettes de viande cuites.

Réduire le feu et laisser mijoter 5 min en brassant de temps en temps.

Servir avec du brocoli.

Trucs

Un jeune enfant peut s'étouffer avec du riz à grains longs. L'écraser à la fourchette ou utiliser un riz à grains courts ou du riz basmati, plus farineux.

La préparation à la viande se congèle très bien. Alors pourquoi ne pas doubler la recette ?

Pour 3 boulettes

Calories 251
Glucides 24 g
Protéines 15 g
Fibres alimentaires 1,3 g
Matières grasses 11g
Sodium 237 mg

Excellente source de vitamine B_{12} et de fer
Bonne source de magnésium
Source d'acide folique et de calcium

Boulettes aigres-douces

Poulet en robe indienne

Accompagner d'un riz basmati, d'une salade verte et de bâtonnets de carottes.

250 ml	yogourt nature	1 tasse
2	gousses d'ail hachées	2
5 ml	curcuma	1 c. à thé
2 ml	cumin moulu	1/2 c. à thé
2 ml	gingembre moulu	1/2 c. à thé
2 ml	coriandre moulue	1/2 c. à thé
1 ml	sel	1/4 c. à thé
6	cuisses de poulet avec dos, sans la peau	6

Mélanger tous les ingrédients sauf le poulet. Verser dans un sac refermable, ajouter les cuisses de poulet et bien les enrober. Laisser mariner au réfrigérateur entre 2 et 8 h, en tournant le sac de temps en temps.

Égoutter les cuisses et les déposer sur une plaque à biscuits recouverte de papier parchemin.

Faire cuire au four à 190 °C (375 °F) 1 h ou jusqu'à ce que le poulet soit bien cuit.

Variante
Remplacer les cuisses de poulet par 6 poitrines de poulet désossées, sans la peau, en gros morceaux. Le temps de cuisson sera d'environ 30 min.

Truc
Pour accélérer la cuisson des poitrines de poulet désossées, mettre au micro-ondes en calculant 10 à 12 min à puissance maximale (la chair doit avoir perdu sa teinte rosée à l'intérieur). Disposer les poitrines en une seule couche en prenant soin de placer les parties les plus épaisses vers l'extérieur.

Par portion
Calories 172
Glucides 2,4 g
Protéines 24 g
Fibres alimentaires 0,1 g
Matières grasses 6,8 g
Sodium 171 mg

Bonne source de vitamine B_{12}
Source de calcium,
de magnésium et de fer

Poulet à l'orange

Tendre et juteux sans même avoir eu à l'arroser! Délicieux avec la purée de patates et patates (voir p. 58).

PRÉPARATION: 15 MIN	CUISSON: 2 H	6 PORTIONS

Truc

On peut préparer et cuire le poulet la veille.

Info nutritionnelle

La chair de la volaille peut devenir rougeâtre autour des os lors de la cuisson. Cette coloration survient lorsque les pigments contenus dans les os de la volaille migrent dans la chair. Ce phénomène est plus fréquent chez les jeunes volatiles car leurs os sont plus poreux, et cela n'influence aucunement le goût et la qualité de la volaille.

Par portion

Calories 192
Glucides 13 g
Protéines 21 g
Fibres alimentaires 2,1 g
Matières grasses 5,9 g
Sodium 184 mg

Excellente source de vitamine A
Bonne source de vitamine C, d'acide folique, de vitamine B_{12} et de magnésium
Source de fer et de fibres

Préchauffer le four à 180 °C (350 °F).

Nettoyer le poireau et le couper en rondelles en réservant un morceau de la partie verte. Couvrir le fond d'une cocotte allant au four d'une partie des rondelles de poireau. Déposer le poulet sur le poireau.

Farcir le poulet du morceau de poireau réservé et de quelques tranches d'orange. Introduire le reste des tranches d'orange entre la chair et la peau du dos et des cuisses.

Mélanger l'estragon, le sel et le poivre. Saupoudrer sur le poulet.

Répartir les rondelles de carottes autour du poulet. Déposer le reste des rondelles de poireau. Verser le jus.

Couvrir la cocotte et cuire 2 h ou jusqu'à ce que le poulet soit bien cuit. Servir.

1	poireau	1
1	poulet entier (environ 1,5 kg/3 lb)	1
1	orange nettoyée en rondelles fines	1
2 ml	estragon séché	1/2 c. à thé
	sel et poivre	
4	carottes en rondelles	4
125 ml	jus d'orange	1/2 tasse

Poulet marocain

Ce repas est encore meilleur le lendemain, une fois réchauffé!

PRÉPARATION : 15 MIN	CUISSON : 30 MIN	8 PORTIONS DE 200 ML (3/4 TASSE)

15 ml	huile	1 c. à soupe
750 g	poitrines de poulet désossées, sans peau, en cubes	1 1/2 lb
2	oignons en tranches fines	2
2	gousses d'ail hachées	2
5 ml	gingembre moulu	1 c. à thé
10 ml	cumin moulu	2 c. à thé
5 ml	coriandre moulue	1 c. à thé
2 ml	sel	1/2 c. à thé
1	boîte (284 ml/10 oz) de bouillon de poulet condensé plus une boîte d'eau	1
1	bâton de cannelle	1
500 ml	carottes coupées en bâtonnets	2 tasses
500 ml	haricots verts surgelés	2 tasses
75 ml	miel	1/3 tasse

Dans une grande casserole, chauffer 10 ml (2 c. à thé) de l'huile à feu moyen. Cuire le poulet jusqu'à ce qu'il soit doré. Réserver.

Ajouter le reste de l'huile ainsi que les oignons, l'ail, le gingembre, le cumin, la coriandre et le sel et cuire jusqu'à ce que le mélange soit odorant.

Déglacer avec le bouillon de poulet et l'eau. Remettre le poulet dans la casserole. Ajouter le bâton de cannelle, les carottes, les haricots verts et le miel. Couvrir et laisser mijoter 20 min ou jusqu'à ce que les légumes soient cuits.

Retirer le bâton de cannelle et servir avec du couscous.

Trucs

Bien se laver les mains après la manipulation de la volaille et nettoyer à fond à l'eau chaude savonneuse tous les ustensiles et les surfaces qui ont été en contact avec la volaille et son emballage, particulièrement le couteau et la planche à découper avant de les utiliser pour couper tout autre aliment.

Pour une version express et différente de ce mets, utiliser un mélange de légumes surgelés tels que le mélange marocain qui contient des carottes, des pommes de terre, des haricots verts, du rutabaga et des oignons. Nul besoin de les dégeler avant de les ajouter au même moment que la cannelle et le miel.

Par portion

Calories 225
Glucides 21 g
Protéines 27 g
Fibres alimentaires 2,2 g
Matières grasses 3,8 g
Sodium 393 mg

Excellente source
de vitamine A
Bonne source de vitamine B_{12}
et de magnésium
Source de vitamine C, d'acide
folique, de fer et de fibres

Poulet marocain

Poulet croustillant

Délicieux avec un riz aux fines herbes et une macédoine de légumes.

250 ml	babeurre	1 tasse
5 ml	basilic séché	1 c. à thé
5 ml	ciboulette séchée	1 c. à thé
5 ml	origan	1 c. à thé
2 ml	moutarde sèche	1/2 c. à thé
2 ml	sel	1/2 c. à thé
6	cuisses de poulet avec dos, sans la peau	6
75 ml	chapelure	1/3 tasse
75 ml	germe de blé	1/3 tasse
5 ml	paprika	1 c. à thé

Sauce aigre-douce

1	oignon haché finement	1
1	boîte (213 ml/7,5 oz) de sauce tomate	1
30 ml	marmelade à l'orange	2 c. à soupe
30 ml	jus de citron	2 c. à soupe
5 ml	miel	1 c. à thé
2 ml	sauce soja allégée en sel	1/2 c. à thé

Mélanger le babeurre, les fines herbes, la moutarde sèche et le sel. Verser dans un sac refermable et ajouter les cuisses de poulet. Laisser mariner au réfrigérateur entre 2 et 8 h, en tournant le sac de temps en temps.

Égoutter les cuisses et les enrober du mélange de chapelure, germe de blé et paprika. Déposer sur une plaque recouverte de papier parchemin.

Faire cuire au four à 180 °C (350 °F) 1 h ou jusqu'à ce que le poulet soit bien cuit.

Pour la sauce, mélanger tous les ingrédients, porter à ébullition et laisser mijoter 10 min ou jusqu'à épaississement.

Variante
Pour une saveur plus relevée, ajouter de l'ail haché finement, des flocons de piment ou quelques gouttes de Tabasco à la marinade.

Truc
Si vous n'avez pas de babeurre, le remplacer par un mélange de 200 ml (3/4 tasse) de yogourt nature et de 50 ml (1/4 tasse) de lait.

Info nutritionelle
Pour préserver leurs précieux nutriments, cuire les légumes frais ou surgelés dans un minimum d'eau ou mieux à la vapeur (au micro-ondes, à la marguerite ou à l'autocuiseur).

Par portion
(sans sauce)
Calories 198
Glucides 7,1 g
Protéines 25 g
Fibres alimentaires 1,0 g
Matières grasses 7,3 g
Sodium 275 mg

Excellente source
Bonne source de vitamine B$_{12}$ et de magnésium
Source d'acide folique, de calcium et de fer

Desserts et collations

« Pops » aux pêches

Collation glacée pour journées chaudes !

PRÉPARATION : 10 MIN	ATTENTE : 3 H	12 SUCETTES

1	boîte (398 ml/14 oz) de pêches, avec leur jus	1
250 ml	yogourt à la vanille	1 tasse

Réduire les pêches en purée au mélangeur.
Ajouter le yogourt et bien mélanger.
Verser dans des moules à sucettes glacées et laisser prendre au moins 3 h.

Variante
Remplacer les pêches par la même quantité de poires en conserve.
Pour un « extra » calcium, incorporer 30 ml (2 c. à soupe) de lait écrémé en poudre au mélange.

Truc
Pas de yogourt à la vanille ? Incorporer 5 ml (1 c. à thé) de vanille et 15 ml (1 c. à soupe) de sirop d'érable à 250 ml (1 tasse) de yogourt nature.

Par sucette
Calories 34
Glucides 7,1 g
Protéines 1,1 g
Fibres alimentaires 0,2 g
Matières grasses 0,4 g
Sodium 14 mg

Source de vitamine B_{12}

Sorbet aux fraises sur bâton

Sans œuf • Sans lait

Un dessert de grands réservé aux petits!

PRÉPARATION : 10 MIN **ATTENTE : 2 H** **8 SUCETTES**

Info nutritionnelle

Les sucettes glacées du commerce sont loin d'égaler notre recette. De l'eau, du sucre, des agents stabilisants et épaississants, des essences artificielles ou naturelles, un colorant, voilà ce qu'elles contiennent pour la plupart. On en trouve avec 7 % de jus et même 25 % de vrai jus, ce qui laisse tout de même 75 % d'eau sucrée colorée aromatisée.

Les fruits surgelés disponibles à l'année permettent de réaliser ce sorbet savoureux à moindre prix car ils sont souvent moins chers que les fruits frais, surtout hors saison.

Par sucette

Calories 28
Glucides 7,0 g
Protéines 0,3 g
Fibres alimentaires 0,9 g
Matières grasses 0,2 g
Sodium 0,5 mg

Bonne source de vitamine C

Réduire les fraises en purée lisse au mélangeur. Incorporer la banane et le sucre. Verser dans des moules à sucettes glacées et laisser prendre au moins 3 h.

1	boîte (300 g/10 oz) de fraises ou framboises surgelées, légèrement dégelées	1
1	banane	1
15 à 30 ml	sucre	1 à 2 c. à soupe

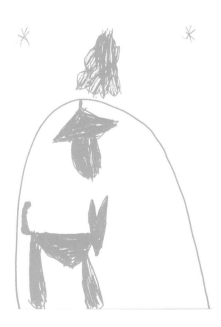

109

Crème rosée

Une délicieuse façon de voir la vie en rose!

PRÉPARATION : 10 MIN	ATTENTE : 2 H	6 PORTIONS DE 125 ML (1/2 TASSE)

1/2	enveloppe de gélatine sans saveur	1/2
15 ml	eau froide	1 c. à soupe
1	paquet (300 g/10 oz) de tofu mou	1
250 ml	compote de pommes et framboises	1 tasse
50 ml	sucre	1/4 tasse

Faire gonfler la gélatine dans l'eau froide pendant 2 min. La faire fondre complètement au-dessus d'un bain-marie.

Réduire le tofu mou en purée bien lisse au mélangeur. Incorporer la compote, le sucre et la gélatine dissoute. Mélanger jusqu'à homogénéité.

Verser dans des coupes à dessert. Réfrigérer au moins 2 h avant de servir.

Variantes

Pour en voir de toutes les couleurs, utiliser d'autres variétés de compotes!

Pour l'Halloween : procéder de la même manière en remplaçant la compote de pommes et framboises par un pot (213 ml/7 oz) de purée de courge pour bébé, et le sucre par 45 ml (3 c. à soupe) de sirop d'érable. Ajouter une pincée de cannelle et de muscade.

Par portion

Calories 91
Glucides 17 g
Protéines 3,1 g
Fibres alimentaires 0,6 g
Matières grasses 1,4 g
Sodium 5 mg

Source de magnésium

Muffins aux framboises à l'os !

Ces muffins «bons à l'os» apportent une quantité appréciable de calcium.

PRÉPARATION : 15 MIN	CUISSON : 20 MIN	24 MUFFINS

Info nutritionnelle

Qu'elles soient fraîches ou surgelées, à volume égal, les framboises contiennent deux fois plus de fibres et un peu plus de calcium et de fer que les autres petits fruits (bleuets, fraises ou mûres).

Le lait évaporé est plus riche en calcium, en protéines et autres nutriments du lait, car il a subi une évaporation sous vide qui lui a fait perdre au moins la moitié de sa quantité d'eau originale.

La farine de soja moulue sur pierre est non dégraissée. Elle doit donc être conservée au congélateur pour éviter qu'elle ne rancisse. La farine de soja est 10 fois plus riche en calcium que la farine de blé.

Par muffin

Calories 130
Glucides 20 g
Protéines 4,3 g
Fibres alimentaires 1,5 g
Matières grasses 3,9 g
Sodium 124 mg

Source de vitamine C,
d'acide folique,
de vitamine B_{12}, de calcium,
de magnésium et de fer

Préchauffer le four à 200 °C (400 °F).

Dans un grand bol, mélanger les farines, le lait en poudre, le zeste de citron, la poudre à pâte, le bicarbonate de sodium et le sel. Dans un bol plus petit, battre les œufs avec le sucre. Incorporer le lait évaporé, l'huile et la vanille au mélange d'œufs.

Faire un puits au centre des ingrédients secs et incorporer le mélange liquide et les framboises en remuant juste assez pour humecter les ingrédients secs.

Verser la préparation dans des moules à muffins graissés ou couverts de moules en papier.

Cuire au four 15 à 20 min ou jusqu'à ce que les muffins soient fermes au toucher.

---

300 ml	farine tout usage	1 1/4 tasse
250 ml	farine de blé entier	1 tasse
125 ml	farine de soja (non dégraissée)	1/2 tasse
50 ml	lait écrémé en poudre	1/4 tasse
	zeste finement râpé d'un citron	
10 ml	poudre à pâte	2 c. à thé
2 ml	bicarbonate de sodium	1/2 c. à thé
2 ml	sel	1/2 c. à thé
2	œufs	2
200 ml	sucre	3/4 tasse
1	boîte (385 ml/10 oz) de lait évaporé	1
75 ml	huile de canola	1/3 tasse
5 ml	vanille	1 c. à thé
375 ml	framboises fraîches ou 1 paquet (300 g/10 oz) de framboises surgelées, légèrement dégelées	1 1/2 tasse

Muffins pour les robots

Une bonne source de fer... tendre sous la dent!

PRÉPARATION: 15 MIN	**CUISSON: 20 MIN**	**18 MUFFINS**

250 ml	farine	1 tasse
375 ml	céréales pour bébé à l'orge ou à l'avoine	1 1/2 tasse
125 ml	crème de blé non préparée	1/2 tasse
15 ml	poudre à pâte	1 c. à soupe
15 ml	zeste d'orange	1 c. à soupe
5 ml	bicarbonate de sodium	1 c. à thé
2 ml	sel	1/2 c. à thé
2	œufs	2
75 ml	huile de canola	1/3 tasse
75 ml	miel	1/3 tasse
200 ml	pruneaux hachés	3/4 tasse
250 ml	jus de pruneaux	1 tasse
125 ml	jus d'orange	1/2 tasse
200 ml	dés de pomme pelée	3/4 tasse

Préchauffer le four à 200 °C (400 °F).

Dans un grand bol, mélanger la farine, les céréales, la crème de blé, la poudre à pâte, le zeste d'orange, le bicarbonate de sodium et le sel. Dans un bol plus petit, battre les œufs avec l'huile, puis ajouter le miel.

Dans un troisième bol, à l'aide d'un mélangeur à main, réduire les pruneaux en purée avec les jus de pruneaux et d'orange. Incorporer au mélange d'œufs.

Faire un puits au centre des ingrédients secs et incorporer les ingrédients liquides et les dés de pomme en remuant juste assez pour humecter les ingrédients secs.

Verser la préparation dans des moules à muffins graissés ou couverts de moules en papier. Cuire au four 15 à 20 min ou jusqu'à ce que les muffins soient fermes au toucher.

Variante
Pour des muffins sans œufs, remplacer les deux œufs par 125 ml (1/2 tasse) de tofu soyeux que l'on a fouetté.

Truc
Si les pruneaux ou autres fruits séchés sont devenus trop durs, les faire tremper quelques minutes dans de l'eau bouillante, les égoutter et les éponger avant d'utiliser.

Info nutritionnelle
Les pruneaux sont une excellente source de potassium ainsi qu'une bonne source de fer, de magnésium et de vitamine A. Ils donnent un coup de pouce aux petits intestins paresseux.

Par muffin
Calories 214
Glucides 28 g
Protéines 3,1 g
Fibres alimentaires 1,8 g
Matières grasses 4,7 g
Sodium 200 mg

Bonne source de fer
Source de vitamine C, de calcium et de magnésium

Muffins pour les robots et toutes les Rosie du monde

Pain pomme-fromage

12 mois et plus • Se congèle

Avec un bon verre de lait, voilà une collation consistante ou un bon petit déjeuner. Ce pain est encore meilleur grillé et beurré.

PRÉPARATION : 15 MIN		**CUISSON : 45 MIN**		**14 TRANCHES**

250 ml	farine tout usage	1 tasse
250 ml	farine de blé entier	1 tasse
125 ml	sucre	1/2 tasse
10 ml	poudre à pâte	2 c. à thé
5 ml	cannelle	1 c. à thé
2 ml	sel	1/2 c. à thé
50 ml	noix de Grenoble rôties et hachées	1/4 tasse
250 ml	fromage râpé	1 tasse
2	œufs	2
15 ml	huile de canola	1 c. à soupe
250 ml	lait	1 tasse
250 ml	pommes en dés	1 tasse

Préchauffer le four à 180 °C (350 °F). Huiler et fariner légèrement un moule à pain de 28 x10 cm (11 x 4 po).

Dans un bol, mélanger les farines, le sucre, la poudre à pâte, la cannelle, le sel, les noix et le fromage. Dans un grand bol, mélanger les œufs, l'huile et le lait. Incorporer les ingrédients secs et les dés de pomme en remuant juste assez pour humecter les ingrédients secs.

Verser la préparation dans le moule. Cuire au four 45 min ou jusqu'à ce qu'un cure-dents inséré au centre du pain en ressorte propre. Servir tel quel avec du beurre ou de la confiture.

Variante

On peut remplacer les dés de pomme par des morceaux de poire.

Truc

Le fait de rôtir les noix avant de les utiliser intensifie leur saveur. Il suffit de les faire griller au four préchauffé à 180 °C (350 °F) pendant 10 minutes ou jusqu'à ce qu'elles soient odorantes et légèrement colorées.

Par tranche

Calories 164
Glucides 24 g
Protéines 6,3 g
Fibres alimentaires 1,7 g
Matières grasses 5,0 g
Sodium 182 mg

Source d'acide folique, de vitamine B_{12}, de calcium, de magnésium et de fer

Biscuits du verger

Délicieux en collation ou comme dessert… pas mal mieux que les biscuits au chocolat du commerce.

| PRÉPARATION : 15 MIN | CUISSON : 20 MIN | 36 BISCUITS |

Variante

Utiliser d'autres fruits séchés : canneberges, cerises, mangue, ananas, raisins secs ou abricots. Ou, à l'occasion, quelques brisures de chocolat !

Info nutritionnelle

Le gruau (ou flocons d'avoine) à l'ancienne, le gruau rapide et le gruau minute ont une valeur nutritive comparable. On peut les interchanger dans les recettes.

Par biscuit

Calories 123
Glucides 20 g
Protéines 2,9 g
Fibres alimentaires 1,6 g
Matières grasses 4,1 g
Sodium 83 mg

Source de magnésium et de fer

Préchauffer le four à 180 °C (350 °F).

Faire dorer légèrement les flocons d'avoine et les noix au four 5 à 7 min ou jusqu'à ce qu'ils soient odorants. Réserver.

Dans un bol, mélanger les farines, les fruits séchés, la poudre à pâte, le bicarbonate de sodium, la cannelle et le sel. Réserver. Dans un grand bol, battre la cassonade avec le beurre et l'huile. Ajouter les œufs. Incorporer graduellement les ingrédients secs en alternant avec le lait et la vanille. Ajouter les flocons d'avoine et les noix et bien mélanger.

Déposer la pâte par cuillerée à soupe pleine sur une plaque à biscuits graissée ou recouverte de papier parchemin. Aplatir chaque biscuit avec le fond d'un verre mouillé.

Cuire au four de 10 à 12 min ou jusqu'à ce que les biscuits soient dorés mais encore mous au toucher.

---

750 ml	flocons d'avoine	3 tasses
75 ml	noix hachées	1/3 tasse
250 ml	farine de blé entier	1 tasse
250 ml	farine tout usage	1 tasse
250 ml	fruits séchés hachés (pêches et poires)	1 tasse
5 ml	poudre à pâte	1 c. à thé
5 ml	bicarbonate de sodium	1 c. à thé
2 ml	cannelle	1/2 c. à thé
2 ml	sel	1/2 c. à thé
250 ml	cassonade tassée	1 tasse
50 ml	beurre mou	1/4 tasse
50 ml	huile de canola	1/4 tasse
2	œufs	2
125 ml	lait	1/2 tasse
10 ml	vanille	2 c. à thé

Gâteau au chocolat à la poudre magique

Sans œuf et sans lait, ce gâteau tendre et léger est tout indiqué pour les fêtes d'anniversaire.

PRÉPARATION : 10 MIN	CUISSON : 35 MIN		24 MORCEAUX

750 ml	farine	3 tasses
250 ml	sucre	1 tasse
100 ml	cacao	6 c. à soupe
10 ml	poudre à pâte	2 c. à thé
10 ml	bicarbonate de sodium	2 c. à thé
125 ml	huile de canola	1/2 tasse
500 ml	eau	2 tasses
30 ml	vinaigre blanc	2 c. à soupe
10 ml	vanille	2 c. à thé

Préchauffer le four à 180 °C (350 °F). Huiler un moule de 23 x 33 cm (9 x 13 po).

Dans un bol, mélanger la farine, le sucre, le cacao, la poudre à pâte et le bicarbonate de sodium. Faire un puits au centre des ingrédients secs et y verser le reste des ingrédients. Mélanger à la cuillère jusqu'à homogénéité.

Étendre la préparation dans le moule et cuire au four 35 min ou jusqu'à ce qu'un cure-dents inséré au centre en ressorte propre.

Laisser refroidir, puis couper en morceaux. Servir avec de la crème fouettée.

Variantes

On peut remplacer l'eau par un mélange moitié eau, moitié lait.

Pour une version fruitée, incorporer des fruits frais ou surgelés (framboises, bleuets ou fraises) à la pâte en même temps que les ingrédients liquides.

Par morceau

Calories 141
Glucides 22 g
Protéines 2,0 g
Fibres alimentaires 0,5 g
Matières grasses 5,2 g
Sodium 145 mg

Source de fer

Gâteau au chocolat à la poudre magique

Carrés aux abricots

Tout fruits tout bons !

PRÉPARATION : 20 MIN	CUISSON : 30 MIN	20 CARRÉS

450 ml	abricots séchés en allumettes	1 3/4 tasse
250 ml	jus d'orange ou nectar d'abricots	1 tasse
45 ml	sucre	3 c. à soupe
250 ml	flocons d'avoine	1 tasse
300 ml	farine	1 1/4 tasse
200 ml	cassonade légèrement tassée	3/4 tasse
2 ml	sel	1/2 c. à thé
125 ml	huile de canola	1/2 tasse
50 ml	beurre fondu	1/4 tasse

Préchauffer le four à 180 °C (350 °F).

Mélanger les abricots, le jus et le sucre dans une petite casserole. À feu moyen, cuire à couvert 10 min ou jusqu'à ce que les abricots soient gonflés. Réduire en purée au mélangeur en ajoutant du jus (ou de l'eau) au besoin pour obtenir un mélange homogène et tartinable. Laisser refroidir à température ambiante.

Dans un bol, mélanger le gruau, la farine, la cassonade et le sel. Ajouter l'huile et le beurre et bien mélanger. Presser la moitié du mélange au gruau dans un plat carré de 23 cm (9 po). Étendre la préparation aux abricots. Parsemer du reste du mélange.

Cuire au four 30 min ou jusqu'à ce que le dessus soit doré. Laisser refroidir et couper en carrés.

Info nutritionnelle

Les abricots séchés ont une teneur très élevée en vitamine A. Ils sont aussi riches en potassium et en fer.

Prendre des collations ou des goûters santé peut aider les petits appétits à ingérer suffisamment d'aliments dans une journée pour combler leurs besoins.

Par carré

Calories 197
Glucides 30 g
Protéines 2,3 g
Fibres alimentaires 1,8 g
Matières grasses 8,1 g
Sodium 52 mg

Source de vitamine A, de vitamine C, de magnésium et de fer

Barres tendres aux bananes et aux dattes

Bien plus fruitées que les barres du commerce!

PRÉPARATION: 15 MIN	**CUISSON: 25 MIN**	**16 BARRES**

Variante
Remplacer la farine de soja par 100 ml (6 c. à soupe) de farine tout usage.

Info nutritionelle
Une garniture genre confiture enrobée de farine blanche enrichie! Voilà ce à quoi ressemblent bon nombre de barres de céréales du commerce. Les meilleurs choix de barres de céréales, tout comme notre recette, contiennent un maximum de 45 ml (3 c. à thé) de sucre ajouté par barre et ne comptent pas d'huiles tropicales (coco, palme ou palmiste) parmi leurs ingrédients.

La farine de soja contient environ 2 fois plus de protéines que la farine de blé entier et 10 fois plus de matières grasses dans le cas de la farine de soja non dégraissée.

Par barre
Calories 141
Glucides 26 g
Protéines 2,0 g
Fibres alimentaires 1,3 g
Matières grasses 3,6 g
Sodium 108 mg

Source d'acide folique, de magnésium et de fer

Préchauffer le four à 180 °C (350 °F).

Huiler un plat allant au four de 20 x 28 cm (8 x 11 po). Déposer les dattes hachées dans l'eau bouillante. Réserver.

Dans un bol, mélanger les farines, la poudre à pâte et le sel. Dans un autre bol, battre avec un malaxeur la cassonade, l'huile et la vanille. Ajouter les bananes et les dattes hachées (avec l'eau) en battant à basse vitesse.

À l'aide d'une cuillère de bois, incorporer les ingrédients secs jusqu'à homogénéité. Étendre la préparation dans le plat de cuisson.

Cuire au four 25 min ou jusqu'à ce que le dessus soit ferme et doré.

Laisser refroidir et couper en barres.

---

125 ml	dattes hachées	1/2 tasse
125 ml	eau bouillante	1/2 tasse
250 ml	farine tout usage	1 tasse
125 ml	farine de soja (non dégraissée)	1/2 tasse
10 ml	poudre à pâte	2 c. à thé
2 ml	sel	1/2 c. à thé
200 ml	cassonade légèrement tassée	3/4 tasse
50 ml	huile de canola	1/4 tasse
2 ml	vanille	1/2 c. à thé
250 ml	bananes écrasées	1 tasse

Cachettes aux dattes et à l'orange

12 mois et plus • Se congèle • Sans lait

Les petits curieux auront hâte de voir ce qui se cache à l'intérieur!

PRÉPARATION : 25 MIN		CUISSON : 10 MIN	20 BISCUITS

250 ml	dattes hachées	1 tasse
	chair d'une orange hachée finement	
30 ml	jus d'orange	2 c. à soupe
500 ml	flocons d'avoine	2 tasses
375 ml	farine de blé entier	1 1/2 tasse
200 ml	flocons de noix de coco	3/4 tasse
	zeste d'une orange	
5 ml	poudre à pâte	1 c. à thé
5 ml	bicarbonate de sodium	1 c. à thé
2 ml	cardamome ou cannelle moulue	1/2 c. à thé
2 ml	sel	1/2 c. à thé
250 ml	cassonade tassée	1 tasse
50 ml	beurre mou	1/4 tasse
50 ml	huile de canola	1/4 tasse
2	œufs	2
10 ml	vanille	2 c. à thé

Préchauffer le four à 180 °C (350 °F).

Dans une petite casserole, à couvert, cuire les dattes et l'orange avec le jus pendant 10 min à feu moyen. Mélanger en écrasant à la fourchette les fruits jusqu'à homogénéité. Laisser refroidir à température ambiante.

Faire dorer légèrement les flocons d'avoine au four 5 à 7 min ou jusqu'à ce qu'ils soient odorants. Réserver.

Dans un bol, mélanger la farine, la noix de coco, le zeste d'orange, la poudre à pâte, le bicarbonate de sodium, la cardamome et le sel. Réserver.

Dans un grand bol, battre la cassonade avec le beurre et l'huile. Ajouter les œufs et la vanille. Incorporer graduellement les ingrédients secs. Ajouter les flocons d'avoine et bien mélanger.

Déposer la pâte par cuillerée à thé comble sur une plaque à biscuits graissée ou recouverte de papier parchemin. À l'aide d'un verre au fond mouillé, aplatir en un cercle de 4 cm (2 po) de diamètre. Déposer 5 ml (1 c. à thé) de dattes au centre. Ajouter une petite boulette d'environ 5 ml (1 c. à thé) de pâte de façon à recouvrir la garniture de dattes (la tâche est plus facile si on a les doigts mouillés).

Cuire au four 10 à 12 min ou jusqu'à ce que le contour des biscuits soit doré.

Variante

Remplacer les dattes par la même quantité de figues ou un mélange de figues et de dattes.

Info nutritionnelle

Les dattes séchées ont une teneur très élevée en potassium, en plus d'être une source de magnésium et de fer.

Par biscuit

Calories 200
Glucides 34 g
Protéines 3,8 g
Fibres alimentaires 3,3 g
Matières grasses 6,7 g
Sodium 153 mg

Source de vitamine C, d'acide folique, de magnésium, de fer et de fibres

Cachettes aux dattes et à l'orange

Crêpes de Charlie

12 mois et plus • Se congèle

On les prépare dans un seul bol et on les savoure à plusieurs !

PRÉPARATION : 10 MIN	CUISSON : 15 MIN	6 CRÊPES

125 ml	farine tout usage	1/2 tasse
125 ml	farine de blé entier	1/2 tasse
45 ml	sucre	3 c. à soupe
15 ml	poudre à pâte	3 c. à thé
1 ml	sel	1/4 c. à thé
2	œufs	2
250 ml	lait tiède	1 tasse
5 ml	vanille	1 c. à thé
50 ml	beurre fondu	1/4 tasse

Dans un grand bol, mélanger les farines, le sucre, la poudre à pâte et le sel. Faire un puits au centre des ingrédients secs. Y casser les œufs et les battre à l'aide d'un fouet sans les incorporer à la farine. Ajouter le lait et la vanille en un mince filet et bien mélanger aux œufs à l'aide du fouet, toujours sans les incorporer à la farine. Finalement, mélanger le tout en incorporant le beurre fondu. La pâte doit encore être grumeleuse.

Déposer une louche de pâte dans une poêle antiadhésive ou beurrée. Laisser cuire à feu moyen jusqu'à ce que des bulles apparaissent à la surface et que le dessous de la crêpe soit doré. Retourner avec une spatule et laisser dorer l'autre côté, 2 à 3 min.

Variantes

Crêpes au chocolat : remplacer 50 ml (1/4 tasse) de farine par 50 ml (1/4 tasse) de cacao.

Crêpes aux fruits : lors de la cuisson des crêpes, verser une louche de pâte dans le poêlon, puis déposer des framboises ou des bleuets, frais ou surgelés et poursuivre la cuisson tel qu'indiqué.

Trucs

On peut facilement doubler la recette.

Préparer la pâte à crêpes la veille, les crêpes n'en seront que plus légères.

Congeler les crêpes cuites. Au moment d'utiliser, les laisser dégeler à la température ambiante.

Par crêpe

Calories 208
Glucides 25 g
Protéines 6,1 g
Fibres alimentaires 1,7 g
Matières grasses 9,3 g
Sodium 304 mg

Bonne source de vitamine B$_{12}$
Source de vitamine A, d'acide folique, de calcium, de magnésium et de fer

Clafoutis de la reine Mandarine

Pour faire d'aujourd'hui un jour de fête!

PRÉPARATION : 10 MIN	**CUISSON : 35 MIN**	**8 PORTIONS**

Variante

On peut utiliser des fruits frais (bleuets, cerises, framboises) ou d'autres fruits en conserve : salade de fruits, poires en moitiés… auxquels cas il faudra changer le nom de la recette !

Saviez-vous que…

Le clafoutis est une sorte de flan aux fruits, qui par définition se prépare normalement avec des cerises noires.

Info nutritionnelle

La mandarine est une excellente source de vitamine C et elle contient aussi du potassium, de la vitamine A et de l'acide folique.

Par portion

Calories 176
Glucides 26 g
Protéines 6,0 g
Fibres alimentaires 0,7 g
Matières grasses 5,5 g
Sodium 52 mg

Bonne source de vitamine B_{12}
Source de vitamine A, de vitamine C, d'acide folique, de calcium, de magnésium et de fer

---

Préchauffer le four à 200 °C (400 °F).

Dans une assiette à tarte de 23 cm (9 po) de diamètre beurrée, déposer les quartiers de mandarines et les morceaux de pêches de façon à couvrir complètement le fond.

Dans un bol, mélanger la farine et le sucre. Faire un puits au centre du mélange, y casser les œufs et les fouetter sans les incorporer à la farine. Ajouter le lait et la crème et mélanger la préparation jusqu'à ce qu'il n'y ait presque plus de grumeaux.

Verser délicatement sur les fruits. Cuire au four 35 min ou jusqu'à ce que le dessus soit gonflé et doré. Servir tiède ou froid, saupoudré de sucre glace.

1	boîte (284 ml/10 oz) de quartiers de mandarines égouttés et épongés	1
1	boîte (398 ml/14 oz) de pêches en tranches, égouttées et épongées	1
200 ml	farine	3/4 tasse
75 ml	sucre	1/3 tasse
4	œufs	4
250 ml	lait	1 tasse
50 ml	crème 35 %	1/4 tasse

Pizza du poisson d'avril

Une pizza canular qui ravira les petits coquins... et pas uniquement le 1er avril!

PRÉPARATION : 10 MIN	CUISSON : 5 MIN	8 PORTIONS

1	croûte à pizza cuite de 25 cm (10 po) de diamètre	1
45 ml	confiture de framboises	3 c. à soupe
1	boîte (284 ml/10 oz) de quartiers de mandarines égouttés et épongés	1
200 ml	ananas en conserve en morceaux, épongés	3/4 tasse
2	kiwis pelés, en tranches	2
1	carré de chocolat blanc	1
30 ml	flocons de noix de coco	2 c. à soupe

Tartiner la croûte à pizza de la confiture. Y répartir les fruits. Râper le carré de chocolat et déposer sur les fruits. Saupoudrer de noix de coco.

Mettre sous le gril environ 5 min pour faire fondre le chocolat et griller la noix de coco.

Variantes

Pour une pizza monochrome, utiliser de la confiture d'abricots, des quartiers de pêches et ou des morceaux* d'ananas et des tranches de kiwi jaune.

Remplacer la croûte à pizza de 25 cm (10 po) par deux croûtes individuelles de 15 cm (6 po).

Truc

Utiliser une croûte à pizza épaisse, qui se coupera et se mastiquera plus facilement!

Par portion

Calories 155
Glucides 29 g
Protéines 3,8 g
Fibres alimentaires 0,9 g
Matières grasses 2,8 g
Sodium 183 mg

Bonne source de vitamine C
Source de fer

Pizza du poisson d'avril

Notes

Chapitre 1

1. Rose HE, Mayer J. Activity, calorie intake, fat storage, and the energy balance of infants, *Pediatrics*, 1968; 41 : 18-29.
2. Greco M *et al.* Caloric intake and distribution of the main nutrients in a population of obese children, *Minerva Endocrinology*, 1990 : 15(4) : 257-61.
3. Johnson SL, Birch LL. Parents' and children's adiposity and eating style, *Pediatrics*, 1994; 94(5) : 653-61.
   Fisher JO, Birch LL. Parents' restrictive feeding practices are associated with young girls' negative self-evaluation of eating, *Journal of the American Dietetic Association*, 2000; 100(11) : 1341-6.
   Fisher JO, Birch LL. Restricting access to palatable foods affects children's behavioral response, food selection, and intake, *American Journal of Clinical Nutrition*, 1999; 69(6) : 1264-72.
   Fisher JO, Birch LL. Mothers' child-feeding practices influence daughters' eating and weight, *American Journal of Clinical Nutrition*, 2000; 71(5) : 1054-61.

Chapitre 2

1. Gillman MW *et al.* Family dinner and diet quality among older children and adolescents, *Archives of Family Medicine*, 2000; 9(3) : 235-40.
2. Stockmyer C. Remember when mom wanted you home for dinner? *Nutrition Reviews*, 2001; 59(2) : 57-60.

Chapitre 3

1. Ramsay, M. Les problèmes alimentaires chez les bébés et les jeunes enfants. Une nouvelle perspective, *Prisme*, 1999; 30 : 10-26.
2. Sullivan SA, Birch LL. Infant dietary experience and acceptance of solid foods, *Pediatrics*, 1994; 93(2) : 271-7.
   Birch LL. Development of food acceptance patterns in the first years of life, *Proceedings of the Nutrition Society*, 1998; 57(4) : 617-24.
   Mennella JA, Beauchamp, GK. Early flavor experiences : research update. *Nutrition Reviews*, 1998; 56(7) : 205-11.
   Koivisto Hursti UK. Factors influencing children's food choice, *Annals of Medicine*, 1999; 31 Suppl 1 : 26-32.

Chapitre 4

1. Ramsay M. Les problèmes alimentaires chez les bébés et les jeunes enfants. Une nouvelle perspective, *Prisme*, 1999; 30 : 10-26.

Chapitre 5

1. Santé Canada. Recommandations sur la nutrition… mise à jour. Les lipides dans l'alimentation des enfants. Rapport du groupe de travail mixte de la Société canadienne de pédiatrie et Santé Canada, 1993, 20 p.
2. Dennison BA *et al.* Excess fruit juice consumption by preschool-aged children is associated with short stature and obesity, *Pediatrics*, 1997; 99(1) : 15-22.
   Smith MM, Lifshitz F. Excess fruit juice consumption as a contributing factor in nonorganic failure to thrive, *Pediatrics*, 1994; 93(3) : 438-43.
   Committee on Nutrition. American Academy of Pediatrics : The use and misuse of fruit juice in pediatrics, *Pediatrics*, 2001; 107(5) : 1210-3.
3. Fisher JO, Birch LL. Restricting access to foods and children's eating, *Appetite*, 1999; 32(3) : 405-19.
   Fisher JO, Birch LL. Restricting access to palatable foods affects children's behavioral response, food selection, and intake, *American Journal of Clinical Nutrition*, 1999; 69(6) : 1264-72.

Chapitre 7

1. Whitaker RC *et al.* Predicting obesity in young adulthood from childhood and parental obesity, *New England Journal of Medicine*, 1997; 337(13) : 869-73.
2. Serdula MK *et al.* Do obese children become obese adults? A review of the literature, *Preventive Medicine*, 1993; 22(2) : 167-77.
3. Crawford PB, Shapiro LR. How obesity develops : A new look at nature and nurture, Dans *Obesity and Health*, Berg FM ed. Hettinger, North Dakota : Healthy Living Institute, 1991; 5 : 40-1.
4. Fisher JO, Birch LL. Parents' restrictive feeding practices are associated with young girls' negative self-evaluation of eating, *Journal of the American Dietetic Association*, 2000; 100(11) : 1341-6.
   Fisher JO, Birch LL. Restricting access to foods and children's eating, *Appetite*, 1999; 32(3) : 405-19.
5. Fisher JO, Birch LL. Mothers' child-feeding practices influence daughters' eating and weight, *American Journal of Clinical Nutrition*, 2000; 71(5) : 1054-61.
6. Robinson TN. Reducing children's television viewing to prevent obesity : a randomised controlled trial, *Journal of the American Medical Association*, 1999; 282(16) : 1561-7.
7. Zeiger RS. Prevention of food allergy in infancy, *Annals of Allergy*, 1990; 65(6) : 430-42.